MASF4

El Gran Vidrio

Mario Bellatin

El Gran Vidrio

Tres autobiografías

EDITORIAL ANAGRAMA

BARCELONA

Diseño de la colección:
Julio Vivas
Ilustración: «Untitled (Hotel Regis, terremoto, Ciudad de México)»,
foto © Enrique Metinides. Cortesía del artista y Kurimanzutto, México

© Mario Bellatin, 2007

© EDITORIAL ANAGRAMA, S. A., 2007
Pedró de la Creu, 58
08034 Barcelona

ISBN: 978-84-339-7148-7
Depósito Legal: B. 9066-2007

Printed in Spain

Liberdúplex, S. L. U., ctra. BV 2249, km 7,4 - Polígono Torrentfondo
08791 Sant Llorenç d'Hortons

Mi piel, luminosa

... en los alrededores de la tumba
del santo sufí

1. Durante el tiempo que viví junto a mi madre nunca se me ocurrió que acomodar mis genitales en su presencia pudiera tener una repercusión mayor.
2. Estaba equivocado.
3. Después supe que incluso les pedía a las otras mujeres objetos de valor para que los miraran plenamente.
4. Ajustados, acogotados, a punto de estallar.
5. Mi madre aprovechando mi dolor.
6. Recolectando objetos sin parar.
7. Muchas veces cosas de comer o pequeñas prendas de adorno personal: aretes de plástico o alguna cuerda delgada que adosaba a su muñeca.

8. Cierta vez consiguió un lápiz con el que pintó sus labios.

9. Fue tanto el entusiasmo que pareció causarle delinear su boca que olvidó por unos momentos mi presencia.

10. Logré entonces desanudar la extraña prenda que ideó para nuestras visitas a los baños públicos.

11. Quedé totalmente al descubierto.

12. Una luz difusa iluminó mi carne.

13. Decidí arrojarme al agua.

14. A la parte más honda.

15. Aparté a unas mujeres obesas que con sus cuerpos me impedían el paso.

16. Estuve incluso a punto de cruzar a la sección reservada a los hombres.

17. De haberlo logrado, estoy seguro de que nunca más habría vuelto a ser recibido de la misma manera por mi madre.

18. Me encontraba a gatas.
19. El agua se confundía con el barro.
20. Si me hubiera puesto de pie me habría llegado apenas a los tobillos.
21. Quedaría expuesto entonces nuevamente a las miradas que hacen posible que me encuentre ahora en estos baños.
22. Las mujeres hurgarían entre sus pertenencias y lograrían, por medio del trueque tan particular que mi cuerpo propicia, contemplarme el tiempo que considerasen necesario.
23. De improviso se me ocurrió voltear.
24. Mi madre continuaba al lado de las piletas de aguas termales.
25. Seguía abstraída en el ritual de delinear su boca.
26. Las demás la observaban con detenimiento.
27. Salvo las mujeres obesas, que parecían desesperadas por salir de la zona que les tenían reservada.

28. Me atrevo a decir que esa escena de mi madre pintando sus labios era un espectáculo ajeno a las costumbres de la región.

29. Me pareció tan alejado de nuestras usanzas que no pude controlarme y le grité.

30. Mi voz se fue acrecentando.

31. El rebote del agua contra los canales de cemento distorsionó de manera rotunda las palabras.

32. No podía permitir que la boca de mi madre fuera más importante que el espectáculo que mis testículos son capaces de ofrecer.

33. Pero en ese momento parecía serlo, incluso a las mujeres obesas se las veía dispuestas a romper las reglas y se preparaban para ingresar en la zona de aguas termales.

34. Aquello nunca antes había sucedido.

35. A partir de cierta edad y de las diferencias de los cuerpos, cada cual tiene su sección asignada.

36. Sólo a los niños y los adolescentes se nos permite ir de una a otra sin el permiso de nadie.

37. En los primeros tiempos acostumbraba permanecer muchas horas dentro del agua.
38. En aquella época no había experimentado aún lo perjudicial que suelen ser los excesos.
39. Era inconsciente todavía de lo vetustas que se tornan las superficies cuando son recorridas por sustancias líquidas una y otra vez.
40. Descubrir las marcas que el tiempo produce sobre las texturas es quizá una de las enseñanzas más importantes de estos baños.
41. Lo único que parece escapar a este deterioro son mis testículos, siempre dispuestos para la exhibición.

42. Mi madre solía esperarme diariamente en la puerta de salida.

43. Se veía contenta cada vez que nos volvíamos a encontrar.

44. Llevaba casi siempre consigo los objetos recolectados durante la jornada.

45. Le agradaban la mayoría de los regalos que le ofrecían a cambio, pero parecía haber comenzado a sentir una especial predilección por los lápices de labios.

46. En más de una ocasión me despertó en plena madrugada para mostrarme su boca coloreada de morado o fucsia fosforescente.

47. Era difícil estar seguro de si aquella figura exaltada formaba parte de un sueño o de una acción que existía en la realidad.

48. Mi madre no suele dejar de mostrarme los labios hasta que despierto del todo.

49. En madrugadas como aquéllas es difícil que vuelva a conciliar un sueño profundo.

50. Permanezco entre despierto y dormido.

51. Pongo entonces en práctica un viejo juego –que me entretiene desde siempre– que consiste en sacar mis genitales, sin necesidad de las manos, de la extraña ropa interior que me confecciona mi madre.

52. Esta prenda, que debo llevar todo el tiempo sin que muchas veces se note su presencia, no es precisamente una invención suya.

53. Para diseñarla ha seguido una serie de patrones de antigua data.

54. Sé además que el oficio de madre que se dedica a mostrar los genitales de sus hijos no es tampoco de su invención.

55. Se trata de una práctica milenaria para la cual no todas las mujeres con hijos están capacitadas.

56. En realidad casi ninguna se encuentra en condiciones de llevar a cabo un ejercicio de esta naturaleza.

57. De allí la ínfima cantidad de madres de este tipo que existe actualmente.

58. En la región donde vivimos nunca se había sabido de la presencia de una mujer semejante.

59. Tuvo que ser mi propia madre quien les informó que, cincuenta años atrás, la hermana de su abuela se convirtió, como producto de este oficio, en la mujer más poderosa de la zona.

60. Se tenía cierto recuerdo de sus andanzas.

61. Pero nadie, ni siquiera mi madre, conocía el destino final de esa mujer y, mucho menos, del hijo que la había llevado a reunir tanto prestigio.

62. «Es verdad lo que se rumora», me dijo mi madre cierta madrugada en que me despertó para enseñarme unos labios cubiertos con una pátina aceitosa.

63. «De las mujeres mostradoras de genitales se recuerdan muchos detalles, pero de sus hijos exhibidos se ignora todo.»

64. Luego supe que los mataban sin piedad.

65. Caí profundamente dormido.
66. Tuve muchos sueños, que continuaron en las noches siguientes.
67. Imaginé el aspecto de aquellas mujeres.
68. También el de sus propios hijos.
69. Se decía que los genitales terminaban siendo víctimas del mal que propiciaba la envidia de las demás.
70. Que de un momento a otro comenzaban a secarse, hasta que de la bolsa inflada que los contenía no quedaba sino una tripa flaca y colgante, que acababa por desprenderse del cuerpo antes de que la víctima advirtiese lo que estaba sucediendo

71. Cuando los hijos pierden de ese modo los testículos las madres huyen de inmediato.

72. Cargan como pueden con los objetos de valor recolectados y suelen dirigirse hacia las zonas montañosas.

73. Antiguamente la ley marcaba la forma de muerte para esos hijos.

74. Una de las maneras más frecuentes era dejar sin cuidado la herida del escroto caído.

75. Me enteré de aquel método hace relativamente poco tiempo.

76. Me lo describió la directora de la Escuela Especial a la que asisto.

77. «¿Por qué me encuentro matriculado en una Escuela Especial?», es una pregunta que no dejo nunca de hacerme.

78. No creo que alguien tenga una respuesta segura, ni siquiera mis compañeros de reclusión.

79. Se conforman, como yo, con saber que duermo en uno de los pabellones centrales.

80. Mi madre quizá sepa por qué insistió tanto con la directora hasta lograr mi aceptación.

81. Parecía no bastar con mi repetida exhibición en los baños públicos.

82. Enriquecerse con los objetos que iba adquiriendo.

83. Pintarse los labios hasta la saciedad.

84. Todo daba la impresión de parecerle poco.

85. Cualquiera que la hubiese visto en ese entonces habría pensado que me odiaba con todas las fuerzas de su corazón.

86. Sería la única manera de interpretarse el gozo que se reflejó en su rostro cuando la directora dio por fin su veredicto.

87. Cuando a mi madre le nació el deseo de que formara parte de la Escuela Especial, visitábamos ya los baños con frecuencia.

88. En aquella época, una escuela semejante era tal vez la única salida que podía encontrar para ser considerada una madre hasta cierto punto normal dentro de nuestra comunidad.

89. Halló quizá de ese modo una manera de sobreponerse al abandono de mi padre.

90. La amante de mi padre había muerto poco antes, de una grave enfermedad.

91. Se desempeñaba como secretaria en la institución pública donde él trabajaba.

92. Nunca supe si se trataba de su secretaria o de una empleada más.

93. Lo que sí me consta es que mi madre padeció su enfermedad como si se hubiera estado desarrollando en su propio cuerpo.

94. Recuerdo que tiempo después de que nos quedáramos solos –mi padre nos dejó una mañana de invierno– mi madre comenzó a realizar una serie de experimentos con mi cuerpo.

95. Me imagino que para conseguir de una manera más efectiva mi futuro ingreso en la Escuela Especial.

96. En esa época habíamos regresado a habitar la trastienda del horno de mi abuelo.

97. Entre otras acciones, me colocaba unos lentes con los que la realidad se trastocaba hasta convertirse en una presencia irreconocible, capaz únicamente de producirme desagradables mareos.

98. En otras ocasiones no me dejaba respirar, tapándome la cara con la almohada hasta que me sentía morir.

99. Una vez trató de introducir mi cráneo dentro de una calavera de cartón que guardaba con fines desconocidos.

100. Cierta mañana en que me descubrió gastando en caramelos un dinero que había caído del bolsillo de un muchacho, me chamuscó las manos en un fuego que encendió con el solo propósito de llevar a cabo su lección.

101. Mi madre consiguió por fin que me acepta-
ran en la Escuela Especial después de la primera incursión que realizamos a los baños
públicos.

102. Alguien le había contado que esa visita era
la única forma de lograr que la directora
diera su consentimiento.

103. En aquel entonces mi madre era una mujer realmente pobre.
104. Ni siquiera contaba con el bolso que luce ahora con entusiasmo.
105. Vivíamos sólo los dos en la trastienda del horno donde mi abuelo desde siempre había cocido los cerdos para la comunidad.
106. Nuestros cuerpos empezaron a expeler un olor que llegó a ser hediondo.
107. Mi madre había comenzado a ahorrar con el fin de pagar la entrada a los baños, pues en aquel tiempo hacer un gasto semejante era una empresa casi inalcanzable
108. Como suponíamos que la visita estaba próxima, decidimos abandonar de pronto las formas de aseo que practicábamos normalmente.
109. Había que economizar a como diera lugar.
110. Nada de agua pagada a los cargadores ambulantes.
111. Nada de bolsas con restos de jabones, que ciertos comerciantes de la comunidad revendían en la calle principal después de ser usados, pero no gastados del todo, en los baños públicos.

112. Cuando por fin se reunió el valor de las entradas nos levantamos antes de que amaneciera.
113. Salimos con prisa de la trastienda.
114. Sabíamos que desde temprano se formaban las filas de gente en espera para entrar.
115. Muchos eran comerciantes que iban a visitar esos baños previo a iniciar sus giras de trabajo; también había mujeres de la más alta alcurnia, que parecían querer aprovechar las opacas luces del alba para que nadie apreciara con nitidez sus cuerpos antes de ser introducidos al agua.

116. En aquella primera ocasión nos quedamos dentro por muchas horas.

117. Los regalos comenzaron a aparecer ni bien mi madre me quitó los pantalones.

118. A partir de entonces tuvimos acceso gratuito.

119. Acudimos todo el tiempo que nos fue posible.

120. Por eso nunca más mi cuerpo volvió a oler de manera desagradable.

121. Mi piel cambió a las pocas semanas.
122. Sin que nadie lo advirtiera se cubrió con una especie de pátina, un tanto viscosa, y de una luminosidad que para algunos es incluso más asombrosa que mis propios genitales.
123. Nunca le pregunté a mi madre lo que pensaba de aquella particularidad.
124. Creo que hacerlo hubiera sido una invitación para que le descubriera nuevas posibilidades a mi cuerpo.
125. No quiero ni pensar en el poder que una piel luminosa hubiera sido capaz de otorgarle.
126. Habría ideado la manera de encerrarme en alguna ermita, que mandaría construir en los alrededores de la tumba del santo en la que aparentemente se ubican estos baños.
127. Llenaría de flores y velas el espacio, y conseguiría además que un músico ambulante ejecutara algún instrumento capaz de ambientar la escena.
128. No permitiría que nadie me tocara.
129. Que nadie pusiera un dedo encima de mi piel.
130. Sería –siguiendo la naturaleza original del ejercicio de mostrarme sin descanso– una actividad de orden meramente visual.

131. Se me ocurre que para una ocasión semejante no hubiera estado de más espolvorear
mi carne con un puñado de la diamantina
que utilizamos en la Escuela Especial para
llevar a cabo algunas tareas.

132. Cada semana, la maestra nos impone la
obligación de hacer un trabajo manual, que
debemos entregar adornado con una capa
de polvo brillante.

133. Así fue como comencé a diseñar lámparas
caseras, ceniceros de papel, botellas de diversas formas, cuyas superficies se encontraban
cubiertas siempre con la pasta que resulta de
mezclar la diamantina con la espuma de jabón que, según la maestra, sirve para darle
verdadero cuerpo a los objetos.

134. Ésos son de los pocos recuerdos que guardo de mis años de escuela.
135. Aunque es hasta cierto punto extraño considerar recuerdos hechos que acaban de suceder.
136. Todavía, aunque ya es poca la gente que lo pueda creer, sigo matriculado aquí.
137. Se puede decir que soy uno de los alumnos internos.
138. Por eso no entiendo; si soy alguien impedido para salir a la calle, cómo tengo el tiempo, o, mejor dicho, el permiso necesario para pasar jornadas enteras en unos baños donde mi madre se dedica sin descanso a mostrarme a las demás mujeres de la región.

139. El pabellón donde duermo puede ser considerado el más grande de la institución.

140. Cuando todavía no es día declarado mi madre suele ingresar tratando de hacer el menor ruido posible.

141. Para no romper el particular silencio de esas horas, acostumbra desplazarse de una manera algo curiosa.

142. Arquea el cuerpo de tal manera que se transforma en un ser casi anormal.

143. En los baños he visto muchas veces cuerpos semejantes al que muestra mi madre cuando trata de no hacer ruido.

144. He advertido que estas anomalías pueden obedecer a distintas causas.

145. Sé, por ejemplo, que el contacto de ciertos organismos con el medio ambiente produce alteraciones físicas difíciles de entender.

146. Siempre estoy en relación con cuerpos exageradamente robustos y, por el contrario, con osamentas que apenas pueden sostenerse.

147. Hasta hace muy poco mi madre no contaba para mí con un cuerpo preciso.

148. La diferenciaba de las otras mujeres sólo por el color de sus labios.

149. Lo único importante era su boca embadurnada, no las contorsiones que realiza en búsqueda de silencio.

150. Ahora, después de haber pasado por tantas experiencias, ya no sé qué pensar del cuerpo de mi madre cuando lo veo ingresar en las noches con la llave que la directora de la Escuela Especial pareció confiarle desde que fui aceptado.

151. Se trata de una llave larga y algo oxidada.

152. Es asombrosa su capacidad para entrar en el pabellón sin que nadie la advierta.

153. A veces, aunque suene extraño, el esfuerzo que realiza al contorsionar su cuerpo descascara ligeramente el carmín de los labios.

154. Nunca me atreví a decírselo abiertamente, pero su boca me gusta más cuando se presenta de esa manera.

155. Con destellos algo desvaídos.

156. Casi siempre suele esperar con paciencia a que me haya desperezado del todo para volverse a pintar.

157. En esas ocasiones da la impresión de que lo hace con vergüenza.

158. Para dar paso a la operación abandona la postura irregular que suele adoptar y se agacha al lado de la cama.

159. Pero no siempre su entrada al pabellón fue realizada en el silencio más absoluto.

160. En más de una ocasión, sobre todo cuando acababa de descubrir la potencialidad de los lápices, mi madre estampó sobre mí sus labios imbuida en una suerte de frenesí.

161. Hacía ruidos de una intensidad tal, que irremediablemente terminaba sintiendo una erección, que trataba de contener con la prenda de material rugoso que mi propia madre me ha diseñado.

162. Hasta el día de hoy agradezco la consideración que muestra hacia los demás cuando embadurna sus labios sin que nadie lo advierta.

163. Hubiera sido terrible que despertara al resto de los internos.

164. Parece que intuye que sólo actuando en silencio puede conseguir algo de mí.

165. «¿Cómo hará para entrar?», suelo preguntarme cada vez que la veo aparecer en la oscuridad.

166. Señalé que ingresa con la llave que le ha entregado la directora de la escuela.

167. Sin embargo se me hace totalmente absurda esa suposición.

168. Es imposible que la directora le haya dado una llave.

169. Para que la dejen entrar quizá le proporciona a los celadores alguno de los objetos recolectados en los baños.

170. O quizá lo logra mostrando sin pudor los labios embadurnados. Me imagino que los mueve de tal manera que no queda otra opción que abrirle paso.

171. Una vez que despierto por completo salimos, también en silencio, del pabellón.
172. Estoy seguro de que la directora no tiene la menor idea de nuestras huidas.
173. Me consta que aquella mujer tan estricta cree que duermo la noche completa en la cama que me tienen asignada.
174. A los demás internos los vuelvo a ver sólo a la hora de acostarnos, cuando regreso después de las diarias visitas a los baños.
175. También estoy con ellos los domingos, pues mi madre esos días, seguramente para dormir más de lo habitual, acostumbra dejarme en libertad.
176. Nunca dejó de sorprenderme su pereza dominical.
177. Me cuesta trabajo creer que prefiera quedarse, justo esos días, en la cama en lugar de recolectar objetos en mayor número que de costumbre.

178. Los domingos son jornadas realmente fructíferas.

179. Sobre todo al anochecer, cuando algunos personajes acostumbran realizar, casi a escondidas, un paseo fortuito.

180. Suelen ser en su mayoría mujeres que no se han casado u hombres con diferentes grados de feminidad los que suelen escoger las últimas horas del domingo para recorrer las instalaciones.

181. De vez en cuando asisten también –y generalmente se refugian al lado de alguna acequia– los enamorados que han sido abandonados repentinamente o los afectados por enfermedades transmisibles.

182. Es tal la desesperación de muchos de esos asistentes, que llegan siempre cargados con regalos de las más diversas procedencias.

183. Acuden con bolsas repletas de objetos, que me imagino les habrá tomado algunos días reunir.

184. Todo esto lo sé por un domingo memorable que mi madre decidió no pasarlo dormida.

185. Pero ahora, como está visto, su sueño parece fundamental.

186. Antes de partir rumbo a los baños suelo mirar a mis compañeros de pabellón, dormidos, como si nada fuera de lo normal estuviera sucediendo.

187. «¿Soñarán?», me pregunto.

188. Hace poco supe —creo que me lo dijo la propia directora— que todavía debo permanecer algún tiempo más internado en esta escuela.

189. Ahora ya no extraño nada.

190. Creo que con mi internamiento y con las visitas a los baños tengo más que suficiente.

191. Me parece que ya no son importantes ni el recuerdo de mi padre ni la añoranza del horno de mi abuelo.

192. Creo que mi permanencia aquí va a durar el lapso de una eternidad.

193. Conoceré por eso cada rincón de sus instalaciones, hasta el menor detalle del carácter de los internos, incluso la naturaleza profunda de las mentes de las maestras y de la propia directora.

194. Sólo ahora me doy cuenta de que en la Escuela Especial mis testículos no tienen razón de existir.

195. En estos pabellones nadie está dispuesto a entregar nada, ni a mi madre ni a mí, por el espectáculo que soy capaz de ofrecer.

196. ¿Habrá más gente internada en la Escuela Especial?

197. Sospecho que sí.

198. Pero creo que no lo desconozco, pues incluso lo he afirmado más de una vez.

199. He dicho siempre que cuento con compañeros de reclusión.

200. No tengo seguridad, eso sí, de que sean ciertas muchas otras cosas, aparentemente más importantes, no sólo de mis compañeros actuales sino especialmente de mi vida privada.

201. No sé, por ejemplo, el número de hermanos que he tenido.

202. He olvidado asimismo el rostro de mi padre.

203. Quizá preguntar a mi madre disiparía las dudas.

204. Pero a estas alturas es absurdo dirigirle directamente la palabra.

205. Lo más probable es que se esconda detrás de uno de sus lápices y me muestre el rostro pintado con los colores más extraños que se pueda imaginar.

206. Después de la partida de mi padre, jamás vi decir a mi madre algo sensato.

207. Antes yo debía seguirla todo el tiempo.

208. Caminábamos juntos por las calles, por los parques, pasábamos por delante de las casas de quienes habían acostumbrado llevar, sobre todo durante las fiestas, a cocer los cerdos al horno de mi abuelo.

209. Tomábamos los autobuses de servicio público y más de una vez nos detuvimos a beber algo.

210. La acompañé asimismo a realizar los trámites en la Escuela Especial y, como se sabe, a la primera incursión a los baños públicos.

211. Sólo la brillantez de mi piel y, por supuesto, la firmeza de la bolsa que contiene mis testículos hacen pensar que mi cuerpo se mantiene joven.

212. Cierta vez, muy temprano en la mañana, miré desde la ventana del pabellón donde duermo el patio de juegos.

213. El pequeño tobogán, los columpios vacíos.

214. No amanecía aún.

215. Casi de inmediato sentí sobre el hombro la mano de mi madre.

216. Se hacía tarde.

217. Noté de inmediato que, en esa ocasión, se presentó sin el bolso del que nunca quiere separarse.

218. Se la veía sin pintura en la cara, como en los viejos tiempos, cuando vivíamos todos en familia en un conjunto habitacional de las cercanías.

219. Habitamos ese lugar por muchos años; fue antes de que mi madre y yo nos mudáramos a la trastienda del horno de mi abuelo, donde ella había pasado su infancia y juventud.

220. Recuerdo del conjunto habitacional sus pasajes, los estacionamientos, el centro comercial.

221. Nunca acostumbro transmitir esta información.

222. No quiero hablar de los años en que mi padre, mi madre, mis hermanos y yo formábamos parte de una verdadera familia.

223. En un principio la casa nos fue rentada por un par de años; lo recuerdo como un momento maravilloso.

224. Con mi padre, mi madre y mis hermanos haciendo planes para un futuro mejor.

225. Sin tener todavía la menor conciencia de mis testículos, en ese entonces tan minúsculos que prefiero no referirme a ellos.

226. Una vez cumplido el plazo del arrendamiento, el propietario comenzó a visitarnos cada noche.

227. Nos pedía que desalojáramos la propiedad lo más pronto posible.

228. Había finalizado el plazo pactado, nos repetía.

229. No estoy seguro, además, de si mi padre pagaba o no la renta de manera puntual.

230. Ignoro si era ésa una razón adicional que aducía el dueño para su demanda.

231. En ese entonces mi padre estaba empleado en una dependencia estatal.

232. Salía todos los días de la casa rumbo al trabajo.

233. Tomaba un auto de servicio público, que recorría de extremo a extremo la ciudad.

234. Me llamaba especialmente la atención la pulcritud de sus camisas blancas.

235. De alguna manera, mi madre logró trasladar años después esa brillantez a las prendas que ideó para sostener mis testículos.

236. Pero a diferencia de mis actuales telas, que se ensucian muy rápido debido al ajetreo constante, las camisas de mi padre resistían la jornada completa.

237. Una vez en la oficina seguramente se colocaba unos guardamangas de plástico para evitar que la tela se desgastara con la rutina diaria.

238. Hubo una época en que, aquí en los baños, mi madre se negó a aceptar cualquier clase de regalo.

239. Creo que sucedió cuando dejó de utilizar su bolso de manera regular.

240. No quiso en ese entonces recibir ni prendas de vestir ni cuerdas para adosar en la muñeca.

241. Empezó a ofrecer el espectáculo de mis testículos en forma gratuita.

242. Me molestó.

243. No me gustaba esa circunstancia.

244. Yo estaba convencido de que mis genitales debían darle a mi madre todo el tiempo algún tipo de satisfacción.

245. Esta repentina necesidad de no cobrar surgió cierta madrugada, cuando la interrogué sobre sus embarazos de la época en que vivimos en familia.

246. Cuando le pregunté acerca del tiempo anterior a que nos mudáramos a la trastienda del horno de mi abuelo.

247. Quería, como todo niño, saber si había tenido hermanos.

248. Pero no quiero hablar.

249. Ni de los años que vivimos en familia, ni del periodo en que estuvimos refugiados en la trastienda del horno.

250. Tampoco de las razones por las cuales la pregunta sobre sus embarazos hizo que mi madre decidiera no aceptar objetos a cambio de la contemplación.

251. La casa, como señalé, nos había sido rentada por dos años.

252. Sin embargo, insisto en afirmar que quizá preguntando a mi madre muchas de mis dudas hubieran quedado resueltas.

253. A veces necesito saber si el contrato de la casa fue realmente por ese periodo.

254. Aunque, si me detengo y pienso, considero cada vez más absurdo dirigirme a ella.

255. ¿Podrá realmente oír a alguien con atención?

256. Más de una vez la he visto vanagloriarse de lo joven que permanece la bolsa que contiene mis testículos.

257. La suele examinar con gran cuidado.

258. Aterrada, me imagino, ante la posibilidad del más mínimo síntoma de sequedad.

259. Cuando mi madre me ausculta presiento en su rostro ciertos rasgos de mi abuelo, aquel que cocía los cerdos.

260. Dicen que murió cortado en pequeños pedazos.

261. Todo comenzó con una diabetes que hizo que primero lo privaran de una pierna.

262. Mi madre siempre lo atendió.

263. En ese tiempo todavía se encontraba soltera.

264. Poco después fue necesario cortar la otra pierna.

265. Siguieron luego los brazos.

266. Mi abuelo nunca dejó de mirar en la pared la imagen del venerado Duce, Benito Mussolini, que se mantuvo todo el tiempo como testigo de la experiencia.

267. Más de una vez escuché decir a mi madre que mi abuelo había formado parte de las Brigadas Urbanas.

268. Cuando esto ocurre, cuando empiezo a imaginar rasgos familiares en el rostro de mi madre, prefiero darle la espalda y mirar por la ventana del pabellón.

269. Veo entonces nuevamente el patio de juegos.

270. El pequeño tobogán, los columpios detenidos.

271. Me mantengo estático hasta que vuelvo a sentir sobre el hombro la mano de mi madre.

272. Es entonces, teniendo como fondo la visión del abandonado patio de juegos, cuando recuerdo los primeros momentos de mis testículos, cuando empezaron a formar parte de la realidad.

273. Era el tiempo en que la secretaria de mi padre enfermó gravemente.

274. Todas las tardes nuestro padre nos sentaba en la mesa de la cocina y, mientras cenábamos, nos hacía un detallado recuento de la salud de la moribunda.

275. «No voy a dejar la casa hasta que nos echen con una orden judicial», dijo mi padre en forma contundente cierto atardecer en que decidió no seguir hablando de la secretaria.

276. Parece que el tema del desahucio de la casa era amenazador.

277. Las visitas del casero incitaron en mí una serie de estados febriles que me duraban el resto de la noche.

278. ¿Fue entonces cuando comencé a tener conciencia de mis genitales?

279. La fiebre creaba imágenes en mi cabeza que se iban transformando en una suerte de formas descomunales.

280. Creo que fue en ese momento cuando comencé a imaginar que nos encontrábamos en unos baños situados al lado de la tumba de un santo.

281. De una fe desconocida además.

282. Nizamudin, Nizamudin, escuché más de una vez en medio de la oscuridad.

283. En momentos así llamaba desde mi cama a mi madre.

284. Quería decirle que no podía seguir soportando la opresión que me causaba semejante presencia.

285. En noches como aquéllas me tomaba una suerte de premonición.

286. Me veía sumergido en superficies húmedas.

287. La secretaria de mi padre estuvo muchos meses internada en el hospital.

288. Estoy seguro de que esos días, en los que pendía una orden de desalojo sobre nuestra casa, están marcados por la enfermedad que la llevó a la muerte.

289. Todo el tiempo se hacía referencia a complicados tratamientos de diálisis, a virus indestructibles, a la juventud y a la entereza de la enferma.

290. Mi madre parecía ser la más afectada con la situación.

291. Se la veía tan trastornada que durante los desayunos no hablaba más que de la desdichada mujer.

292. Desde el amanecer repetía, una y otra vez, que la amante de su marido estaba condenada a muerte.

293. En ese tiempo la palabra amante me producía fastidio.

294. Ahora creo que ya no.

295. Hasta me parece que he olvidado, aquí en los baños, su verdadero significado.

296. Todos los días, después de regresar del trabajo, mi padre nos hacía un rápido recuento de la situación.
297. Mi madre escuchaba atenta.
298. Luego ponía sus manos sobre los hombros de su marido.
299. Allí se quedaba, a espaldas del hombre que presidía la mesa.
300. Al recordarlos de ese modo, reaparece mi inseguridad sobre la cantidad real de miembros que tenía mi familia.
301. No puedo memorizar, sobre todo, a mis hermanos. Tenerlos presentes en ninguna de las escenas familiares.
302. Sería fácil preguntar.
303. Pero prefiero seguir callado.
304. No me importa ya conocer ningún otro detalle de esos años.
305. Aunque sí deseo preservar la imagen de aquellos esposos alrededor de la mesa preocupados por los informes del hospital.

306. Cuando mi padre se fue de la casa —salió una mañana rumbo al funeral de su secretaria y no volvió—, mi madre se quedó encerrada en el hogar por varios meses.

307. No crean que cumpliendo la habitual rutina de un ama de casa.

308. Se quedó estática en una de las sillas de la cocina.

309. Seguramente sin pensamientos.

310. Pareció despertarla la prometida orden de desalojo, que nos llegó de pronto.

311. Unas horas después varios hombres sacaron nuestras cosas a la calle.

312. Fue curioso observar las camas, los roperos y las sillas colocados en mitad de la acera.

313. Algunos vecinos se acercaron.

314. Más de uno dijo que era la primera vez que ocurría algo semejante en el conjunto habitacional.

315. Mi madre fue llevada a un parque por ciertas personas caritativas, que buscaron mantenerla a una distancia prudencial del trajín de los que sacaban las cosas de la casa.

316. Mis hermanos –ahora comprendo que sí tenía hermanos– empezaron a llorar de manera desesperada.

317. Otras personas, seguro más caritativas que las primeras, se los llevaron a sus casas.

318. Antes de la enfermedad de la secretaria, mi padre de vez en cuando cantaba y tocaba la guitarra.

319. En aquellas ocasiones nos reuníamos en la sala principal.

320. Las celebraciones cesaron de golpe.

321. Mi padre había cantado y tocado la guitarra incluso cuando el casero nos amenazaba con hacer desalojar la casa de un momento a otro. Pero calló cuando comenzó el suplicio de la secretaria.

322. Como se supondrá por lo que he relatado, el ambiente se tornó sombrío.

323. Algunas tardes vi a mi madre llorando y quejándose de lo injusta que suele ser la vida con los desvalidos.

324. Nunca supe a quién se refería: si a su propio padre, si a ella misma o si a la secretaria moribunda.

325. Ahora sé que hablaba de mí.

326. Que la torturaban los augurios que ya desde ese entonces seguramente empezó a vislumbrar sobre mi persona.

327. Sin embargo, cuando lo pienso con detenimiento, creo que exageraba en los juicios.

328. Que no era yo la persona indicada, y no lo soy tampoco ahora, para representar sus tristezas.

329. Como ya sabemos, la secretaria acabó muerta.

330. Mi padre desapareció para siempre.

331. No creo que mi madre pueda ser feliz, a pesar del bolso de piel que lleva siempre consigo, de los lápices de colores, y de las cintas que de vez en cuando adosa a sus muñecas.

332. Desde hace unos días me persigue un pensamiento, más bien una inquietud.

333. No sé cómo decirle a mi madre que pronto dejará de recibir la cantidad de regalos a los que está acostumbrada.

334. Presiento que esta situación de enseñar mi cuerpo a cambio de recibir objetos terminará de un momento a otro.

335. Que se acabará, a pesar del embeleso que sigue produciendo el espectáculo que soy capaz de ofrecer.

336. Hasta ahora todos parecen considerar imposible que mi luminosa piel decaiga en algún momento.

337. Que mis testículos dejen de mostrarse poderosos.

338. Es que no saben que ya he comenzado a experimentar ciertas sensaciones que, tarde o temprano, harán que mis genitales se vuelvan pesados y olorosos.

339. Precisamente porque nadie lo sospecha, tengo la certeza de que la transformación se evidenciará pronto.

340. Como seguramente lo experimentó aquel antepasado mío que murió asesinado por su propia madre antes de huir a las montañas, empiezo a sentir el alargamiento sutil de mi escroto.

341. Parece seguir una guía invisible hacia la tierra.

342. Aunque va con el sigilo necesario para que la decadencia se lleve a cabo en el mayor de los secretos.

343. Cuando menos lo piense estará convertido en una tripa.

344. Al llegar a ese punto sé que mi madre no titubeará ni un instante.

345. Lo cortará de un solo tajo.

346. Colocará luego encima de la herida una serie de sustancias capaces de causarme una rápida infección.

347. No me cabe duda de que actuará con la decisión que la caracteriza.

348. Seguramente después experimentará un estado de demencia temporal.

349. Recordará, estoy seguro, los tiempos de esplendor del horno para cerdos de mi abuelo.

350. Cuando era soltera y llevaba adelante, junto a su padre, un próspero negocio.

351. Ellos dos eran los únicos miembros de su familia sobrevivientes de la guerra.

352. Mi madre era la encargada de decorar las piezas que dejaban a cocinar. Previendo quizá esa habilidad fue bautizada con el mismo nombre que la hija del Duce, la que todo lo abrillanta. Les colocaba pequeños aretes, diademas o aros de metal, para que los cerdos, al ser horneados, no se confundieran unos con otros.

353. Actuará, estoy seguro, esgrimiendo la firmeza de carácter con la que trata de convertirme en la atracción principal de la tumba del santo en cuyos alrededores nos encontramos.

354. Hace dos noches mi madre me trajo algunas fotos que, en un principio, me parecieron acabadas de tomar.

355. Mostraban a un sujeto que se dedicaba, como mi abuelo, al oficio de horneador de cerdos.

356. En la foto pude reconocer las paredes, las mesas de cemento, la larga pala que solía utilizar mi abuelo para cumplir con su trabajo.

357. Pude ver también, sobre sus cuerpos, adornos parecidos a los que mi madre solía colocar en la carne de los animales.

358. Se trataba de fantasías de bajo valor, no como los objetos que suelo hacer con diamantina en la Escuela Especial.

359. Siempre mi madre y la directora dicen que mi talento no tiene nada de extraordinario.

360. De mi padre no he vuelto a saber, aunque seguramente hubiera apreciado como nadie mis lámparas cubiertas con espuma de jabón.

La verdadera enfermedad de la sheika

Los protagonistas del último libro que he publicado, curiosamente se sienten satisfechos con la obra. Creo que quedan muy mal librados, pero no parecen darse cuenta de ser ellos los personajes retratados. Pienso que tal vez poseen una ingenuidad infinita o que no suelen leer los libros como es debido. Llego a la casa que habitan y me recibe la dueña, quien se encuentra rodeada de los dos perros que posee. Son unos ejemplares gigantescos que carecen de pelaje. Muestran en el lomo un manto de cuero brillante. Ignoraba que esa señora tuviera afición por esa clase de canes. Cuando se lo señalo se sorprende. Añade que, de cierta forma, yo he sido el propulsor de ese interés. No deja de ser cierto. Hace más de quince años que me dedico a promover la crianza de perros de esa raza. He hablado más de una vez de sus ventajas. Aparte de la inteligencia y de una fidelidad extremas, no suelen ser portadores de alimañas ni de pelusas que floten en el ambiente. Al ver bien a los perros que acompañan a la mujer, creo reconocer al de mayor tamaño. Se trata de Lato, el animal que el padre de un amigo cercano compró a mis instancias cinco años atrás. Es un perro fiero. Se muestra manso sólo con quien sea su amo en esos momentos. Con todos los demás es una verdadera bestia. Quizá ésa sea la razón por la que ha vivido en distintas casas. En cierta ocasión, el padre de mi amigo tuvo que abandonar el país en forma intempestiva. Al constatar que era imposible dejar al perro con nadie más, lo destinaron a un jardín zoológico –se trata de una raza tan peculiar que muchos zoológicos del mundo exhiben ejemplares de esa estirpe– del cual escapó la misma noche del encierro. Recorrió después más de una semana de un extremo a otro la ciudad, hasta que pudo regresar a su casa original. Nadie sabe cómo logró orientarse, pero a pesar de tal proeza el perro no fue recibido nuevamente. El padre ya había partido y su hijo, mi amigo, solo ya en la casa familiar, pensó que la solución podía ser llevarlo a un veterinario para que le inyectaran algún veneno.

Cuando me enteré del suceso tuve que pedir audiencia con ciertas mujeres de la alta sociedad.

Una de ellas aceptó al perro en forma temporal. Al principio la mujer tuvo que soportar algunas mordidas, pero el perro rápidamente pareció comprender que ser fiel a esa nueva dueña era la única forma de continuar con vida. En su nueva casa, salvo con su flamante dueña, comenzó a mostrar, como de costumbre, una braveza extrema. Mordió a cuanta persona se le puso delante y quería, además, copular todo el tiempo con su nueva ama. A los pocos meses tuvo que ser entregado a la familia de unos sirvientes de la casa. Ante la imposibilidad de soportarlo, el animal fue trasladado a un área rural. Allí pagó sus culpas pues por alguna razón, relacionada tal vez con la alimentación que empezó a recibir, comenzó a perder poco a poco los dientes. Sin embargo, y a partir de una serie de idas y venidas −por motivos económicos la familia rural tuvo que trasladarse a la ciudad capital−, el perro pasó finalmente a convertirse en la mascota de los esposos que supuestamente he retratado en mi último libro publicado.

Terminé de reconocer al animal porque me atacó apenas me vio. Recordé, de inmediato, el asunto de los dientes y lo cogí del hocico inmovilizándole la mordida. Una vez que el perro se calmó pude continuar con mi visita. La señora de la casa me hizo subir al segundo piso, donde estaba el marido acostado en la cama. La mujer ingresó primero en la habitación. Yo me quedé en el umbral. Desde allí vi que el hombre me reconocía y alababa no sólo el último libro sino mi carrera literaria en general. En cierta pausa, la esposa tomó el libro de la mesa de noche y me preguntó cuánto cobraba. Le contesté del modo como suele hacerlo alguien que se dedica a la prostitución. Ambos reímos. Luego, haciendo un gesto totalmente en desacuerdo con la clase de persona de la que se trataba, sacó unos billetes de su pecho y me los entregó. Hizo antes la salvedad de no estar segura de haberme pagado en el momento de la presentación del libro. Yo ignoraba si esos esposos habían estado presentes esa noche, pero sí recordé que una de sus sobrinas se llevó un ejemplar con cargo de abonarlo en los días siguientes.

Una vez que recibí el dinero, el esposo insinuó que el personaje de la novela tenía su misma profesión. Acto seguido desvió el tema. Habló de los perros, que habían quedado en el primer piso, pues la escalera contaba con una pequeña puerta para impedir que subieran. En ese momento les dije que en cierta ocasión había hallado un ejemplar del eslabón perdido de esa raza tan extraña. Añadí que ese gen estaba todavía latente, dispuesto a aparecer por generación espontánea en el momento menos pensado. Aquel descubrimiento lo hice durante uno de mis múltiples viajes a las zonas agrícolas de la costa, donde siempre pregunto si se mantienen o no perros carentes de pelaje. Un poblador me dijo que los pescadores acostumbran ser dueños de los ejemplares más inteligentes. Aquel hombre me habló también de un perro fenómeno que había nacido unos años atrás. Lo llevaba entre las manos una anciana que se dedicaba a la fabricación de canastas. Me dijo que no era el primero en nacer en la región. Lo que sucedía era que los pobladores mataban de inmediato a los ejemplares aparecidos con esas características. El cachorro tenía una gran joroba, carecía de cuello y mostraba gran dificultad para mover de un lado a otro la cabeza. Cierto cronista de Indias, Clavijero, menciona un ejemplar parecido llamado Izcuintepozoli.

Cuando acabé el relato, el marido ya estaba dormido. Se encontraba boca arriba y tenía mi novela sobre el pecho. La dama me había escuchado con atención. Algo en su mirada me hacía sospechar que estaba preocupada. Con una escena similar daba comienzo el libro que acababa de publicar. En el texto, mientras el marido duerme, su mujer se retuerce las manos con signos de angustia. Me puse de pie —antes de hablar del Izcuintepozoli había tomado asiento en un pequeño sofá que había en la habitación–, y me despedí. Al bajar y abrir la puertita de la escalera, el perro sin dientes quiso atacarme. Sentí el roce de sus encías en mi muñeca. La esposa bajaba detrás. Me acompañó a la puerta. El perro continuaba queriendo morderme. La mujer comenzó a acusarme. No se trataba de una mujer de la alta sociedad como cualquiera pudiera suponer. Era una dama de la religión musulmana. Es por eso que, en el primer capítulo del libro, me refería a la incongruencia que mostraban esos esposos por tener perros carentes de pelaje en lugar de salukis, los únicos canes aceptados por el islam. Antes de cerrar la puerta me llamó prostituto, de otra forma no entendía por qué había vendido, precisamente a la revista *Playboy*, un sueño místico que había tenido con la sheika de la comunidad religiosa a la que pertenecíamos. Me salvaba, dijo, porque su marido estaba enfermo. Era la razón por la que se encontraba acostado. Estaba segura de que en esas condiciones había sido incapaz de comprender el reproche, aparecido en el libro publicado, de no tener salukis en casa. Mientras hablaba trató de apaciguar al perro carente de pelaje. Nunca supe si en verdad lo consiguió. Sin embargo, mientras me iba alejando de aquel hogar, comencé a sentir cierta vergüenza porque, en efecto, había vendido, por un precio alto además, aquel sueño místico a la revista *Playboy*.

El texto lleva como título *La enfermedad de la sheika*, y trata de unas extrañas visitas: primero una que yo realizo al hospital donde atienden la enfermedad incurable que padezco –por la cual soy considerado una suerte de mártir del sufismo y estoy exento, entre otras cosas, de realizar los ayunos propios del Ramadán–, y otra que hago, junto a la sheika de nuestra comunidad, a la casa del plomero encargado de arreglar las cañerías de la mezquita donde los fieles solemos reunirnos tres veces a la semana. Me parece que ambas visitas son importantes. Tanto la del hospital, donde mantienen –de una manera algo artificial– mi vida a partir de un estricto régimen de pastillas, como la que hacemos a la casa de un plomero de una mezquita que extrañamente no cuenta con un lugar apropiado para realizar las abluciones rituales. No sé por qué terminé vendiendo el sueño a la revista. Tal vez lo hice motivado por las mismas razones por las que en el último libro publicado retraté de una manera tan pedestre a los dueños de los perros carentes de pelaje.

La enfermedad de la sheika comienza cuando yo aparezco muy molesto porque he sido tratado mal en el hospital donde suelen atenderme. Se han cancelado todas las citas que tenía programadas ese día. Con los laboratorios y con los médicos de alto prestigio que me atienden. Cambiaron también de fecha una sesión de masajes que logré conseguir en el área de rehabilitación. Casi siempre esas zonas, de rehabilitación corporal, están ubicadas en los sótanos de los hospitales. Lo sé bien porque desde pequeño las he visitado con frecuencia. Desde que nací mis padres se empeñaron, de manera casi obsesiva, en que utilizara una prótesis que supliera mi brazo faltante. Lograron inculcarme la necesidad de utilizarla, pero no parecían tener en cuenta que ese tipo de aparatos requieren un caro y frecuente mantenimiento. Por esta razón, por desconocer esta exigencia y quizá también por la falta de recursos económicos, los aparatos que fui utilizando a lo largo de mi vida siempre han estado en condiciones calamitosas. Las piezas eran importadas, pocas veces se contaba con refacciones. Hubo entonces que hacer con frecuencia una serie de modificaciones, con zapateros ambulantes generalmente, que hacían su trabajo lo mejor que podían, con lo que se conseguía que llevara siempre, con el mayor de los orgullos muchas veces, unos inútiles e inservibles remedos de prótesis. Fue de tal magnitud la obsesión de mis padres, que tuvieron que pasar más de cuarenta años para que, en medio de una suerte de viaje iniciático a la India, arrojara el último brazo al río

Ganges. Lo hice dos días antes de que ocurriera el tsunami que arrasó parte de la costa.

Pero, ese día, ni siquiera en el sótano del hospital me quisieron atender. Debo confesar que lo que más contrariedad me causó fue la negativa a las sesiones de masaje. Las cancelaciones de las demás citas, fundamentales para controlar mi salud, no me molestaron demasiado. Cuando pregunté las razones del rechazo me contestaron que creían que había ocurrido una tragedia y que todo el personal estaba en alerta para atender a las posibles víctimas. Pensé de inmediato en el tsunami que había presenciado meses atrás. No había visitado los hospitales, pero en los aeropuertos y en las estaciones de tren se advertía de manera clara el desconcierto. Es por eso, para constatar la reacción que motivaría ahora esta posible tragedia, que tomé la decisión de salir por la puerta de las urgencias. Curiosamente, no noté nada fuera de lo normal. Pasé sin mayores contratiempos frente a los pequeños consultorios de la zona y delante de la sala de espera. Allí estaban, sentados en sus sillas, los aquejados con diversas dolencias. Sin embargo, no rebasaban el número normal de pacientes.

Pese a todo pronóstico, cuando estaba a punto de salir de esa área me encontré repentinamente con la sheika de nuestra comunidad. Estaba siendo transportada, con gran celeridad, en una silla de ruedas. La empujaba Duja, una de nuestras derviches. Una mujer alta e imponente que cuenta con una voz privilegiada. Las acompañaba su sirvienta personal. Me acerqué a ellas, las saludé con el tradicional *«Asalámaleykun»*, pero no recibí contestación. Pasaron a mi lado como si yo no existiera. Duja, con la voz que la caracteriza, pedía un doctor. Yo sabía que los médicos no estaban disponibles. Que por motivo de la emergencia general que habían anunciado no atendían a nadie. Me acordé entonces de que, como era paciente habitual, conocía los recovecos del hospital y podía hallar a algún médico que no hiciera caso de la alerta.

Reingresé al hospital. Recorrí distintos pasillos. Subí escaleras. Tomé elevadores. Me costaba caminar entre los pacientes y sus familiares, quienes acostumbran desplazarse entre una y otra sección ocupando totalmente las vías de acceso. Recordé la sugerencia que desde hacía meses tenía pensado formular. Crear una especie de reglamento de tránsito para que las personas circularan apropiadamente. Sobre todo para las escaleras, pues era una incomodidad tener que subirlas y bajarlas a la hora de mayor afluencia de pacientes. Como lo intuí, encontré a uno de mis médicos en una pequeña unidad de investigación. Miré por una minúscula ventana redonda que había en medio de la puerta, y lo vi trabajando frente a un microscopio. Abrí la puerta sin golpear y, para mi alivio, no pareció afectarle la irrupción. Dejó lo que estaba haciendo y me señaló un lugar donde sentarme. Seguramente pensó que deseaba que me examinara. Tuve la tentación de decirle que precisamente había tenido una cita con él, que había sido cancelada porque ese día en el hospital el orden estaba alterado. Pero recordé el caso de la sheika. En ese momento mi salud no importaba. Le conté lo que sucedía. Le pedí que me acompañara. Pareció dispuesto a hacerlo, sin embargo antes me preguntó lo que era una sheika. Le tuve que explicar que se trataba de la jefa espiritual de la comunidad sufí de la que formo parte. Añadí que se encontraba verdaderamente mal de salud.

El médico salió detrás de mí. Era tan importante nuestra misión que no hice ningún comentario acerca de la lentitud de los pacientes y sus familiares que obstruían los pasillos. Tampoco pregunté cuál era la emergencia que tenía anuladas las citas en el hospital. Hubiera querido además preguntarle muchas otras cosas. Asuntos de genética principalmente. Hablarle de los perros que carecen de pelaje. De los eslabones perdidos que todavía es posible hallar en algunos pueblos de pescadores. Del famoso Izcuintepozoli. Pero no lo hice. Así como tampoco le pregunté si había leído los últimos libros que había publicado, que yo le regalaba siempre después de cada consulta. Lo importante era sortear ese mar de gente enferma y llegar a la sala de urgencias. Lo conseguimos después de largos minutos. Al entrar en el pasillo pude distinguir a la sheika, a Duja y a su criada. Seguían en una posición similar a cuando las había abandonado. El médico se les acercó y les dijo que esperasen. Iría a buscar la sala adecuada, señaló. Miré el rostro de la sheika. Ya no era Duja quien agarraba la silla de ruedas. La sujetaba ahora la sirvienta.

Pese a encontrarme frente a ella, la sheika no parecía reconocerme. Se le notaba abstraída en su dolor. En cambio Duja comenzó a dirigirse a mí con naturalidad, pero no me contó las circunstancias en las que se encontraba la sheika. Dónde la había hallado. Qué mal la aquejaba. Lo único que alcancé a escucharle es que rogaba a Dios que tuviera una pronta atención. Cuando el médico regresó, dijo que no había encontrado ninguna sala adecuada para auscultar a una sheika. Debía por eso revisarla en un jardín. Ya se habían tomado las previsiones necesarias. No pude entender entonces cómo, en medio de tal desorden, en aquel hospital habían sido capaces de tomar tan rápido las medidas oportunas para la revisión de un personaje con esas características. Pero, en efecto, algunos minutos después nos encontrábamos en un jardín interior, con parte del personal dispuesto a comenzar con su trabajo. Habían instalado una mesa sobre el césped. El médico estaba acompañado por dos enfermeras. A Duja, a la sirvienta y a mí nos hicieron esperar en una esquina. Junto a un rosal. Desde allí vimos cómo levantaban a la sheika de la silla y la tendían en la mesa. Fue en ese momento cuando reparé en los zapatos que la sheika llevaba puestos. Se trataba de un modelo que nunca había visto. Eran de terciopelo negro y contaban con una serie de complicadas tiras que se amarraban a los tobillos. Al final de cada tira había unos pompones de un negro más claro, como de ala de cuervo.

El médico y la enfermera trataron de desatar los zapatos. La tarea comenzó a hacerse cada vez más complicada. En ese momento la sirvienta de Duja habló. Dijo que cómo era posible que se intentara realizar una empresa semejante. Que eran muy pocos los que estaban en condiciones de descalzar a una sheika. Añadió que ninguno de los allí presentes podía hacerlo. Sentí vergüenza. Había hecho venir —en aquel día especial, con una tragedia inminente amenazándonos– al médico de mi mayor confianza hasta el jardín. Había logrado que instalaran la mesa tal como debía disponerse para auscultar a una sheika, y por el asunto de unos zapatos que no se podían desatar se corría el peligro de tirar todo por la borda. Pero la sirvienta fue implacable. Desde la inmovilidad más absoluta iba repitiendo, una y otra vez, que nadie de los presentes estaba en el derecho de descalzar a una sheika. Sin que lo advirtiéramos, Duja comenzó a abandonar sigilosamente el jardín. Lo noté por un leve cántico que emitió mientras se iba alejando. Me pareció, no sé por qué motivo, que su paso era similar al de la anciana que fabricaba canastas en el puerto de pescadores.

Mientras tanto, el médico y las enfermeras parecían no oír las palabras de la sirvienta y continuaban con su infructuosa labor. Querían descalzar a la sheika a como diera lugar. Verla acostada en la mesa mientras sus zapatos eran manipulados me hizo acordar una escena semejante vivida en la calle, muy cerca de la mezquita, semanas atrás. En esa ocasión una de nuestras derviches más queridas, Cherifa, una mujer ya mayor, fue atropellada por un vehículo cuando salió a comprar el té que tomaríamos los fieles esa noche. Nuestra hermana se encontraba acostada en medio de la calle. Unos vecinos la habían cubierto con periódicos. Estaba lloviendo. En la mezquita los fieles reunidos no tenían idea de lo que estaba pasando fuera. Se encontraban concentrados en la oración del anochecer. Ese mismo día, horas antes, yo había tenido un sueño con Cherifa. De alguna manera estaban presentes los elementos del accidente que se desencadenaría después. Cherifa se encontraba sentada en un autobús –el mismo que después la atropellaría– en compañía de la esposa de su hijo, Rajmana. Ambas parecían contentas con el viaje. Yo me encontraba sentado dos filas atrás. Estaba acompañado por la señora de la casa dueña de los perros carentes de pelaje. Al lado iba solamente uno de sus animales, el más fiero, Lato, el que escapó del jardín zoológico donde lo quisieron confinar y recorrió varios kilómetros hasta hallar su casa nuevamente, donde mi mejor amigo, para deshacerse de él, pensó en inyectarle veneno como primera opción. Era un perro perfecto. Como se sabe, de un carácter agresivo, pero sus formas eran las ideales. En el autobús molestaba mucho. Quería copular con la dama que me acompañaba, quien se veía incapaz de controlarlo. No recuerdo si en ese entonces contaba con la dentadura completa, sospecho que no. Aquel viaje fue soñado durante la madrugada del once de agosto del año 2005. El accidente ocurrió durante el anochecer de ese mismo once de agosto. Los daños causados al cuerpo de Cherifa no fueron mayores. Tampoco, parece, el sufrimiento que tuvo que soportar en la soledad de la calle. Estaba aturdida, acompañada por unos policías y unos vecinos, a quienes no se les ocurrió más que cubrir su cuerpo con diarios viejos.

Pero la sheika continuaba tendida. Los lazos de sus zapatos no podían ser removidos. Me hubiera gustado saber lo que hubiera pensado de la situación –de la sheika acostada sobre una mesa de palo esperando ser descalzada– el marido de la dama poseedora de los perros carentes de pelaje. Aquel hombre que, sin advertir que él y su mujer son los personajes de la obra, se durmió con mi libro encima luego de que su esposa me entregó, como si fuera un cualquiera, algunos billetes que sacó de su pecho. No lo he mencionado, pero al recibir ese dinero me sentí, de alguna manera, como cuando era niño y fingía por el teléfono ser una indígena que buscaba trabajo como sirvienta. Recuerdo que tenía diez u once años y, a escondidas, buscaba en los avisos clasificados de los diarios para llamar imitando el léxico de las mujeres del interior. Casi siempre terminaban haciéndome proposiciones sexuales, que yo aceptaba a través del teléfono con el mayor de los gustos.

No sé exactamente por qué volví a recordar aquellas llamadas mientras oía el susurro de Duja alejándose por el jardín del hospital. Se trataba de una ignorancia similar a la que me hacía desconocer por qué había asociado sus sigilosos pasos, alejándose en medio de delicados cánticos, con el de la anciana dueña del cachorro de Izcuintepozoli. Seguramente, Duja en esos momentos estaría saliendo por la misma puerta de urgencias por donde entró empujando la silla de ruedas. Quizá la sirvienta que dejó conmigo era la personificación de mis juegos telefónicos de la infancia. Pero en este caso esa mujer no parecía cumplir ninguna función sexual, sino que se limitaba a repetir la letanía de la imposibilidad de descalzar a una sheika. A una sheika acostada en uno de los jardines internos del hospital donde se supone preservan mi vida. Donde recibí el dictamen médico y tuve que pasar por una serie de sufrimientos antes de que se encontrara la medicina adecuada capaz de alargar mi mal hasta una suerte de infinito dictado por la ciencia. «Te morirás de cualquier cosa menos de tu enfermedad», me han repetido muchas veces. Debo creerlo, aunque en ocasiones hay errores médicos que hacen imposible que uno acepte ciegamente sus preceptos. De allí la preocupación por que atendieran rápidamente la enfermedad de la sheika. No siempre los sueños experimentados durante el trance sufí han tenido resultados feli-

89

ces. No todas las profecías se limitaban al horror de Cherifa, casi inconsciente y acostada en una vía rodeada de policías y de vecinos dispuestos a tapar su cuerpo con papeles de periódico. Aquel horror terminó precisamente cuando Duja, nuestra derviche dueña de una voz privilegiada, llegó el día del accidente tarde a la oración y se encontró con el espectáculo. Luego de dirigirle a Cherifa algunas palabras de consuelo fue directamente al interior, donde interrumpió de manera brusca las oraciones con la noticia.

Dentro de la profecía existen también los sueños de muerte. Por eso la urgencia de descalzar lo más pronto posible a la sheika. En uno de esos sueños, que experimento con relativa frecuencia, veo que me está revisando un médico desconocido, no el que trata de atender a la sheika. Es otro doctor quien mira mi cara con detenimiento, parece que asombrado por ciertas malformaciones. Explica que debe analizarlas. Resulta que existe la posibilidad de que sean manifestaciones malignas. Recuerdo especialmente el asunto del cuello. Del cuello putrefacto que me ataca de vez en cuando. El médico asiente. Presentar cada cierto tiempo un cuello así puede ser señal de que los resultados sean positivos. Me dice que hay tres niveles que alcanzar. En el peor, el que sospecha, moriré en menos de cinco años. Me molesto. Me parece una fecha muy lejana. O me dejan vivir o me dejan morir en paz, refuto.

De pronto, dentro de ese mismo trance, me encuentro dentro de una ambulancia, llevando a la sala de urgencia de algún sanatorio a una persona. No sé quién es. Tiene cierto parecido con el personaje que retraté en el último libro publicado. El hombre acostado en la cama con el libro colocado sobre el pecho. Se parece también al técnico que en los sótanos del hospital de mi infancia me diseñaba las prótesis. Supongo que encontrarme llevando a una persona enferma es un trance similar al que ha debido pasar Duja, nuestra derviche, al trasladar en forma apresurada a la sheika. Quizá para que el proceso fuera más práctico, para subir y bajar a la sheika, llamar a los enfermeros o armar y desarmar la silla de ruedas, fue por lo que decidió llevar consigo a la sirvienta. El trance se hace evidente cuando esa mañana recibo la noticia de la muerte de un compañero sufí, Nuh, afectado por el virus del sida.

En el velorio de Nuh, con el ataúd tapado con un manto verde que simula que no hay nada debajo, me maravillo al ver el despliegue total de los derviches giradores, rotando hasta el infinito, ¿frente al cadáver? Hago entonces planes sobre las formas de eliminación de mi propio cuerpo. Quiero firmar cuanto antes la carta que propone la sheika para que las familias no puedan intervenir en la última decisión de los derviches. La de ser velados y enterrados bajo el rito musulmán. Existen problemas económicos al respecto, sobre todo porque para muchos miembros de la comunidad es imposible tener el dinero necesario para no ser incinerado. Uno de mis sueños es convertir un terreno que hace años compré en pleno bosque, y que ahora está abandonado, en un cementerio sufí. No me atrevo a proponerlo. Quizá no estoy seguro de mi fe. He escuchado muchas veces que el Sagrado Corán pone en tela de juicio primeramente a quien cree en él. Dice que los que aceptan de a mentiras, en otras palabras, cualquier musulmán en algún momento de sus vidas, serán los más duramente castigados.

«El ojo debe ser del tamaño de lo que percibe», escuché decir a la sheika más de una vez. Nunca me atreví a preguntar qué era lo que significaba aquello. Lo que sí entendía de una manera más clara era cuando nos decía que cuando el ser humano ama algo sólo ama al ser humano, se ama a sí mismo, a sus propios atributos reflejados en eso que dice amar. Y yo amo a la sheika, a mi líder espiritual. Es por eso que no puedo permitir que continúe acostada sin que se le puedan desatar los cordones de los zapatos. Trato de intervenir. Callo a la sirvienta, que continúa repitiendo su letanía, y me dirijo directamente al médico. Al oírme, da la orden a las enfermeras de que dejen de pretender desatar las borlas y cintas que atan los zapatos de terciopelo negro. Mira luego su reloj. Es la hora del relevo, anuncia. Mejor para todos, prosigue. Ese hospital no está preparado para recibir a una sheika enferma. Hay que llevar a la paciente a una sucursal. Sólo quedamos la sirvienta y yo para hacernos cargo de la paciente. Debemos firmar unas formas, nos dice el médico, para hacernos responsables de semejante decisión. Le pregunto a la sirvienta cómo han llegado hasta el hospital. La sirvienta me responde que en el auto de la sheika. No puede ser, respondo desconcertado.

La sheika es dueña de un Datsun del año 67 que no sirve para nada. Es imposible que nos responsabilicemos del traslado en un auto tan inseguro. Recuerdo que una vez vi a la sheika conduciéndolo en pleno centro a una velocidad mínima. En ese momento se me hizo claro que para mí la sheika no era más que un punto entre una instancia y otra. Es decir, que me servía de referente para estar seguro de la existencia tanto de un mundo material como de uno conformado sólo por el espíritu. Aunque seguramente ella no hubiera estado de

93

acuerdo con mi forma de pensar, pues ella habría insistido una y otra vez en que todo no era más que lo mismo. A pesar suyo, la presencia de la sheika me permitía no confundir uno con otro. Tal vez por esa razón, por tener tan limitada mi percepción de la realidad, no me siento un verdadero derviche. La duda me ataca sobre todo por épocas. A veces, como en esa ocasión, me tomaban los dos sentimientos contrarios al mismo tiempo. Por eso cuando vi el auto desaparecer lentamente en medio del tráfico en el centro de la ciudad, me quedé extrañando mis visitas a la mezquita y, sin embargo, no teniendo ningunas ganas de visitarla. Creo que aquel rechazo me duró hasta la muerte de Nuh. La noche antes de su partida vi que un médico, que repito no era ninguno de los que me atienden regularmente, me hablaba de las tres etapas, de los niveles de muerte a alcanzar. Cada uno contradictorio con el otro. Pese a traer aires de extinción los tres, de cierta manera, poseedores de un sentido alentador. «... una vez que se alcanza la fortaleza del alma», escuché que me terminaba de decir, como últimas palabras, el médico antes de desvanecerse. Apenas abandoné la cama abrí el internet y encontré el correo de la sheika convocando a las exequias de Nuh.

Subirse a un Datsun como el de la sheika puede traer algunas consecuencias. Lo sé. Por eso estoy dudando. Tengo delante de mí los papeles para la autorización que debo firmar. Para sorpresa de todos, en ese momento la sheika parece reanimarse. El color ha vuelto a su semblante. Se sienta por sus propios medios y pide que dejen sus zapatos en paz. Comprende de inmediato la situación y dice que ella firmará para responsabilizarse por ella misma. Se incorpora sin la ayuda de nadie. Me sorprende su elasticidad. En la mezquita siempre pide que la asistan para ponerse de pie. Más de una vez he pensado que solicita ese apoyo como una deferencia al otro. Para que los derviches tengan la satisfacción de que esa noche ayudaron a levantarse a una sheika. La sensación que me embarga al ver el repentino cambio de tono de la situación, es similar a la que experimenté cuando junto a Hazim, un personaje que no conozco pero que, sin embargo, siento siempre muy cerca de mí, hice una especie de peregrinación, dando vueltas alrededor de una mezquita importante. Se trata de un edificio larguísimo, de altas paredes rojas. Guarda similitud con la gran mezquita que visité en la India poco antes de despojarme del aparato ortopédico que llevé desde la infancia. Alrededor hay una gran cantidad de parcelas, ordenadas según los colores de los productos que se cosechan. Hazim y yo caminábamos muy juntos. Era evidente el miedo que me producía la enfermedad –evidenciada en una flacura extrema– que aparentemente padecía. Pero aquel peregrinaje alrededor de la mezquita –no teníamos ninguna intención de ingresar– nos daba cierto alivio, tanto a sus males como a los míos. «Bismilah id rajmani rajím», escuchábamos surgir todo el tiempo desde dentro. El sufismo plantea que hemos olvidado por completo el mundo ideal de donde provenimos, el esfuerzo está en el recuerdo, en la remembranza, nos decían las voces que salían de la mezquita. El corazón debe recordar, añorar la vida plena que tuvo antes. Sin embargo, en ese momento, sólo pude acordarme de que mi amigo de la infancia quiso eliminar al perro de su padre luego de que el animal diera una muestra rotunda de fidelidad. Es cierto que el padre había partido. Que en la casa no iba a haber quien se hiciera cargo del animal. Pero envenenarlo era una medida cruel desde cualquier punto de vista. Quizá por eso aquel amigo, años después, sufrió el castigo de caer de espaldas desde el coro de una iglesia de un pueblo.

En esa ocasión habíamos decidido, con tres amigos más, cruzar la frontera. Un guía iba con nosotros. Bromeábamos acerca de las barreras. Nos jactábamos de conocer la forma de pasar de uno a otro lado sin que nadie lo advirtiera. Una vez que nos adentramos decenas de kilómetros –viajábamos en una camioneta acondicionada especialmente–, nos dimos cuenta de que, de alguna manera, continuaba presente el espíritu tradicional. En ese instante supimos, fue algo intuitivo, que el guía había actuado como un verdadero traficante de personas. Paramos la camioneta y se lo dijimos. El guía pareció ofenderse. Nos habíamos detenido en un pequeño pueblo muy antiguo. Contaba con una iglesia típica. Dejamos al guía en la camioneta. El resto entramos a visitar el templo. Mi amigo, el que había intentado deshacerse del perro, subió al coro, que era muy alto. Sin darse cuenta dio un paso hacia atrás y cayó al centro de la nave central. Nosotros, que estábamos abajo, nos acercamos y constatamos que estaba muerto. Presuntamente, poco después, en aquel poblado, debía ocurrir una tragedia de grandes proporciones. Yo sabía que si mi amigo caía del coro una tragedia de grandes proporciones se cerniría sobre el lugar. Algo similar al tsunami que afectó a la India poco después de despojarme de mi brazo para siempre. De alguna manera, lo que la muerte de mi amigo parecía tratar de decir era que había fallecido para evitar una muerte mayor. Para servir como una señal que nos obligara a emprender la huida. Mi amigo se encontraba muerto. No así el perro carente de pelaje, que ahora es propiedad de los protagonistas del último libro que he publicado. La mujer de la casa rodeada de perros, su marido con mi libro abierto sobre el pecho. Sin embargo, en este momento, no puedo sino imaginarme a Duja cantando abiertamente y recorriendo, después de abandonarnos, como si estuviera huyendo de una culpa, las calles de la ciudad.

La sheika, una vez que se incorpora, le exige a la sirvienta las llaves de su Datsun, el cual quiere conducir hasta la indicada sucursal del hospital. La sirvienta se las entrega. Las coloca a un lado de la mesa de madera. La sheika ya se encuentra de pie. Camina hacia el estacionamiento. Rechaza la silla de ruedas que le ofrezco. Los médicos y las enfermeras se deshacen en gentilezas ante tan particular paciente. Aprovecho la ocasión para quejarme del mal trato que esa mañana he recibido en ese hospital. Señalo, una a una, las consultas anuladas así como, lo más importante, mi trunca sesión de masaje a la que iba a ser sometido en los sótanos.

La escritura como profecía, ha dicho la sheika en más de una ocasión. No en vano en la religión islámica el milagro es un libro y nosotros somos sólo una letra de ese libro. Es quizá ésa la razón, ser sencillamente una letra de un alfabeto infinito, por la que cuando algún practicante del sufismo se desplaza en avión o en tren acostumbra pasar por una serie de experiencias fuera de lo común. Generalmente, cuando están a punto de abordar algún medio de transporte, sienten el inusitado impulso de elegir, entre el grupo de desconocidos que suele poblar las salas, a alguna persona de la que nunca en la vida les gustaría desprenderse. Como una letra que buscara pegarse a otra para formar una palabra. Algo les dice que la persona que tienen al frente formará, a partir de entonces, parte fundamental de sus existencias. Pero, pese a esa circunstancia tan curiosa, no puede dejarse abandonado el viaje. Se deben reprimir los sentimientos y actuar siempre como un ser común y corriente.

Por cierto, ¿qué ropa llevaría puesta Cherifa cuando fue atropellada? Todo haría indicar que la bata de oración. Antes de que ocurriera el accidente ya se encontraba dentro de la ceremonia. Lo lógico hubiera sido que se quedara en la mezquita la noche completa. Pero, de pronto, alguien advirtió que faltaba el té que tradicionalmente se ofrenda a los fieles. Seguramente en ese momento Cherifa ya perfilaba su frente con dirección a La Meca para iniciar sus postraciones. Pero en lugar de comenzar la oración se ofreció para ir a la tienda. Así fue como minutos después quedó tendida en el pavimento, atropellada, con los vecinos cubriendo su bata con algunas páginas de periódico. Desde aquel accidente, nuestra sheika ha determinado que una vez ingresado nadie salga de la mezquita. Se debe esperar a que termine la noche para hacerlo. Asegura que adentro uno está absolutamente desprotegido, desnudo, con los sentidos afinados para la práctica espiritual y no para enfrentar al mundo cotidiano. ¿En qué plano de la realidad se encontraría Cherifa en el momento del accidente? Quizá en el mismo en que suelen encontrarse los miembros de las comunidades sufíes en las estaciones de trenes o en los aeropuertos antes de abordar algún medio de transporte. Antes de dirigirse a las zonas de embarque acostumbran hacer el juramento de que, pese a que sus cuerpos se desplazarán cientos de kilómetros, no dejarán de mantenerse junto a la persona elegida momentos antes. La intención de llevar muchas horas consigo el recuerdo de la persona amada y desconocida, para algunos podría representar la escenificación de una escena extremadamente romántica. Para otros una simple manifestación de esquizofrenia. Se trata más bien, creo, de la búsqueda que debe emprender cualquier miembro de una comunidad de esta naturaleza para estar presente en los espíritus de varias personas al mismo tiempo. Para formar palabras completas. Durante el viaje, mientras permanecen en el lugar asignado, les suele maravillar la sensación que les causa advertir que son capaces de desplazar sus cuerpos a distancias inimaginables y, al mismo tiempo, quedarse estáticos en el punto donde encontraron a la persona que eligieron para no separarse de ella jamás. No estoy seguro de que la sheika tenga conocimiento de la práctica que muchos de sus discípulos llevan a cabo antes de viajar. No creo que le produzca ningún entusiasmo una actividad semejante. La sheika ha visto muchos milagros en su vida. Uno de ellos fue que la eligieran, a su edad, sheika de la comunidad que dirige. Su interés parece basarse sólo en aspectos de la grandeza divina. Aunque, como se verá más adelante, trate de encontrar este despliegue en los actos más banales.

Mientras camina, la sheika parece sentirse cada vez mejor. Ya no es ni la sombra de la enferma que ingresó al área de urgencias del hospital. Dice que ella, como es lo acostumbrado, manejará su Datsun. Ya fue más que suficiente que Duja lo condujera para llevarla al hospital. Recordé entonces que yo siempre he conducido mi propio auto. Hasta antes de que me lo robaran, a punta de pistola, en una de las zonas más céntricas de la ciudad. También me gustaba conducir mi propio auto cuando visitaba las zonas rurales de la costa del país, donde descubrí que los ejemplares más inteligentes de perros sin pelaje los poseían los pescadores. Creo que el interés por aquellos paisajes nació a partir de los viajes que realizaba junto a mi padre, técnico en asuntos agrícolas, a zonas semejantes. Recuerdo de esos tiempos las parcelas separadas según los productos que se cosecharan. Sin embargo, los colores de esas parcelas no eran tan luminosos como los que veía cada vez que junto a Hazim, mi amigo enfermo, peregrinaba dando vueltas alrededor de las mezquitas. La sheika intuye seguramente que si yo manejo el Datsun nunca llegaremos a nuestro destino. Trato de recordar alguna ocasión en la que yo haya conducido en su presencia. Solamente aparece la tarde cuando las llevé, a la sheika y a su madre, de la mezquita a la casa que habitaban. Recuerdo que fue un viaje divertido. La madre pareció disfrutar mucho del auto deportivo que poseía en ese entonces. Le gustó su color y el techo, que fue abriéndose de manera automática. Pero hubo otra ocasión en que traté de servirle de guía a la sheika mientras ella iba conduciendo su propio Datsun. Fue cuando me hizo el favor de acompañarme, por primera vez, al hospital donde la encontré. La imagen aparece en el momento en que regresábamos de la consulta. Ya habíamos visto al médico, quien había dado su veredicto. Andábamos desorientados por una serie de calles oscuras que no parecían llevar a ninguna parte. Nuestro extravío terminó cuando la sheika detuvo el auto y afirmó que, desde ese momento, yo pasaba a la categoría de mártir del sufismo. Años atrás, ella había preguntado sobre el particular –sobre lo que les sucedía a los derviches que estaban condenados a muerte– al guía supremo de los sufíes, Muzafer Efendi, que vivía en Turquía. De inmediato, allí en el coche, apareció en mi cabeza la imagen de plástico del pequeño derviche girador que se encuentra colocado sobre una repisa en la mezquita. La estatuilla ha perdido un brazo desde hace varios meses. Me pregunté si ese tipo de derviche tendría también el título de mártir. Me pregunté también si Duja, con sus características físicas, era también una mártir del sufismo. O si la propia sheika, enferma y presa de unos zapatos de terciopelo negro, lo era también. Tal vez su madre, quien disfrutó como una niña cuando el techo de mi auto se fue abriendo en forma mecánica, sí estaría considerada dentro de una categoría semejante.

Aunque creo que el único mártir presente en este texto es mi amigo de la infancia, yaciendo muerto después de caer del coro de la iglesia. Era imposible que eso sucediera. Afuera, en la camioneta que nos transportaba, se encontraba el guía que nos había orientado para cruzar de manera clandestina la frontera. Lloriqueaba porque lo habíamos acusado, como se sabe, de traficante de personas. ¿Cómo podía afligirse por esa causa cuando dentro de esa iglesia había ocurrido una tragedia semejante? Teníamos que abandonar el poblado a como diera lugar. Subir todos a la camioneta equipada especialmente y huir lo más rápido posible. Había que dejar el cadáver tendido en la nave central. Abandonarlo de la misma forma como su padre dejó el país. No quiero pensar lo que hubiera ocurrido en esa casa si, después de la partida del padre, en lugar del perro que poseían hubiesen tenido un ejemplar producto del eslabón perdido, el Izcuintepozole. Seguramente el padre lo habría matado en el acto. En el momento de tomar la decisión de dejar el país, no habría tenido otra alternativa que hacerlo desaparecer. Era imposible que se tomara el trabajo de llevar ese monstruo al jardín zoológico. Allí quizá le hubieran recomendado un museo para exhibirlo disecado. Se ve que los perros carentes de pelaje sufrían mucho por el hecho de estar enjaulados. Quizá ésa fue la razón por la que el ejemplar del padre de mi amigo, llamado Lato, huyó el mismo día de su reclusión. Seguramente dio un gran salto y se unió a algún visitante. Posiblemente se hizo pasar por un perro de compañía y, sigilosamente, con un cuidado aún mayor que el mostrado por Duja cuando abandonó a la sheika en el jardín del hospital, salió a la calle.

Nuestro guía, quien al darse cuenta de los acontecimientos dejó repentinamente de llorar, recomendó que lo mejor sería regresar a nuestro territorio. Debíamos guarecernos de la gran tragedia. En ese momento no podíamos saber si iba a tratarse de un terremoto, de un tornado o de una inundación. Lo único que sabíamos era que teníamos que huir. Comenzó por eso a conducir la camioneta en forma rápida. Sin embargo, todavía se le escaparon algunas lágrimas. Ya no lloraba por la acusación de la que había sido víctima por nosotros momentos antes. Ahora lo hacía, por fin, por mi amigo muerto. Sin embargo, a pesar de la velocidad que le imprimía al vehículo conducía bien. La sheika de la comunidad sufí a la que pertenezco lo hace de la misma manera. Un poco lento, eso sí, pero con una destreza impecable. Cuando realizo el último intento de decirle, en la puerta del hospital, que en sus condiciones físicas debe renunciar al volante, me dice la desconcertante frase de que nadie tropieza dos veces con la misma piedra. Me quedo pensando en esa sentencia. Advierto entonces que mi líder espiritual no me tiene la menor confianza. La miro con detenimiento. Parece sentirse cada vez mejor. El coche, como advertí en su momento, se trata de un vejestorio que apenas puede caminar. Por eso a nuestro paso empiezan a producirse una serie de incidentes de tráfico, provocados principalmente por la velocidad ínfima a la que comenzamos a desplazarnos. Debo reconocer que no tengo la menor idea de la ruta que llevamos. En ese momento reparo en que nunca habría sabido cómo llegar a la sucursal del hospital donde nos dirigíamos. Yo había contestado afirmativamente al médico. Le había dicho que conduciría a la sheika. Había estado a punto de firmar incluso la carta de responsabilidad, pero ignoraba realmente el fin de lo que se me estaba pidiendo.

Sólo en ese instante le di la razón a la sheika por negarme el volante. Nuevamente advertí aquello que los derviches siempre sabemos, pero que a menudo pasamos por alto. Que una sheika nunca se equivoca, y que muchas veces sus aparentes conductas erradas no son más que el disfraz de una lección que no todo el tiempo estamos preparados para recibir. El trayecto parece largo. Me pregunto entonces en qué podrían consistir realmente los males temporales que suelen atacar a las sheikas. Pienso que puede tratarse de sentencias encubiertas, pero intuyo que la mayor parte de las veces esos males simbolizan cosas de mayor envergadura. Demostrar que no hay más Dios que Dios, por ejemplo, o que la realidad es toda una misma cosa. De manera necia, pues en muchas ocasiones me niego a aceptar el carácter extranatural de los líderes espirituales, quise saber si los males, cuando las aquejan, son enfermedades reales o circunstancias pasajeras. En algunas ocasiones presiento que esos malestares tienen sus orígenes en una serie de imágenes que las suelen tomar, precipitadamente, especialmente durante las oraciones del amanecer. Rápidamente deseché esas elucubraciones. Intuí que las creaba para dejar de lado mi preocupación principal. Haber publicado, nada menos que en la revista *Playboy*, un cuento basado en un sueño místico: la enfermedad de la sheika. Aquél tenía que ser el punto principal de mi aflicción y de mi culpa.

Creo que ayudó, a que reconociera que me había equivocado, la mujer de la alta sociedad musulmana cuando me gritó que yo era un simple prostituto. Corrí, esa misma noche, hasta la puerta de la mezquita. No pensé ni siquiera en pasar antes por la casa de la sobrina, quien pese a sus promesas de hacerlo no me llegó a abonar nunca el libro que se llevó el día de la presentación. Llegué de noche. Era temprano. La calle estaba vacía. Desde donde me encontraba podía divisar perfectamente la esquina en la que Cherifa había sido atropellada. Esperé algunas horas. A pesar de ser día de reunión de los hermanos, no advertí que nadie entrase ni saliese de aquella casa de oración. Pasó el tiempo. No recuerdo cuándo se abrieron no las puertas de la mezquita sino las del instituto de estudios religiosos, que se encuentra ubicado en el segundo piso. Salió por esa puerta la sheika acompañada de Nadira, otra hermana derviche con quien guarda una estrecha relación. Las dos han salido sólo por unos momentos. Me lo dicen cuando las saludo. Van a regresar una hora después, afirman. Les digo que quiero entregar a la mezquita esa misma noche los cientos de *tasbis* –rosarios– de oración que durante mi viaje a la India compré al por mayor. Los tengo empaquetados en mi casa, pero puedo ir rápidamente por ellos. Las cuentas son de madera y los *tasbis* forman paquetes de a docena. Sin embargo, ni la sheika ni Nadira parecían mostrarse interesadas en ese asunto. Me resulta extraño, pues en una de nuestras reuniones la sheika se quejó de que la comunidad no contaba con los *tasbis* suficientes para entregar a los nuevos fieles durante sus ceremonias de bautizo. En la puerta las aguarda un auto verde. Noto que se trata del mismo color de la manta con la que cubrieron el ataúd de Nuh el día de su despedida. Antes de que lo aborden, Nadira se acerca directamente a donde me encuentro parado. Está furiosa. No lo había notado antes pero echa chispas por los ojos Me dice que se encuentra sumamente molesta conmigo. Sospecho que se ha enterado de que la sheika ha salido en las páginas de la revista *Playboy*. Recién entonces advierto que la sheika no ha contestado ninguno de los correos electrónicos que le mandé desde el extranjero, adonde viajé para dictar una serie de conferencias sobre mi trabajo. Tampoco había aceptado, antes de emprender semejante viaje, tener una cita para decirnos adiós. Había querido organizar una cena en mi casa o invitarla a un restaurante. Todo había sido inútil. Yo había querido que hablásemos en profundidad de la suerte de peregrinación que iba a emprender. Después de las conferencias iría a visitar las tumbas de algunos santos. Pero las dos mujeres, antes de subir al auto verde, en lugar de atender mi ofrecimiento de los *tasbis* me dijeron que siguiera esperando en la puerta. Ellas no tardarían en regresar, repitieron. Cuando me disponía a perseguir al auto mientras se ponía en marcha, me pareció percibir cierto aroma alcohólico en el aliento de la sheika. Me sorprendí. Después supe que, en las comunidades sufíes, la ebriedad del alma es el estado pleno a alcanzar. «Cada ser humano es una transcripción del ser, y por esa razón es potencialmente perfecto», dijo la sheika entre balbuceos. Nadira seguía molesta. Le pidió a la sheika que no me siguiera dirigiendo la palabra.

Me detuve de pronto. Estaba algo agitado. No había corrido ni media cuadra pero me faltaba el aliento. Me pregunté en ese momento si incidiría esa frase, la dicha por la sheika a través de la ventana, en mi amigo muerto. Nunca supe qué pasó con su cuerpo tendido. Si siguió eternamente en el centro de la nave central o si se encontraba debajo de cientos de toneladas de lodo. La situación me remitía a una serie de enseñanzas, algo exóticas, que se impartían en la escuela de Acmed Jalali, un maestro con ideas extremas sobre el amor principalmente. Acmed Jalali decía, por ejemplo, que el amor no es atributo de Dios porque es Dios mismo. Nunca le pregunté a la sheika lo que pensaba de aquel punto de vista. Me hubiera gustado preguntarlo cuando necesité entender la conducta del padre de mi amigo cuando dejó abandonado a su perro. O la de mi propio amigo, quien intentó envenenarlo así porque sí. Preguntar si era factible rezar por el chofer del autobús que atropelló a Cherifa. O si elevar tal vez nuestras oraciones por Duja, quien se alejó del jardín del hospital caminando hacia atrás y cantando entre susurros. Creo que lo mejor hubiera sido rezar por nuestros hermanos derviches, que en las distintas estaciones de transporte deciden escoger una persona anónima de la que no se desprenderán nunca más a lo largo de sus vidas. Hermanos que, independientemente del lugar físico en que se encuentren, estarán al mismo tiempo y en todo lugar junto al alma elegida.

«No hay más Dios que Dios», oí que la sheika le iba explicando en el Datsun a la sirvienta de Duja, quien nos había seguido desde el jardín y se encontraba sentada ya en el asiento de atrás. El trayecto parecía cada vez más largo. La monotonía sólo se interrumpía con algún comentario de la sheika, quien, aparte de tratar de explicar a la sirvienta asuntos de fe –*lailahailaláh, Mohammed rasulalá*–, hacía acotaciones referentes a lo destartalado del coche y al intenso tráfico de la ciudad. En cierto momento volteó la cabeza y le dijo que yo era su mejor derviche. Esas palabras me impresionaron. Entre otras cosas, pensé en lo pésimos derviches que debían ser los demás. Sentí entonces una suerte de nostalgia por la comunidad de la que formo parte. En ese instante el auto se detuvo frente a una pequeña casa. Sin embargo, a mí eso no pareció importarme. Continué escuchando las palabras que la sheika iba pronunciando. De pronto me pareció ver a Fariha, la sheika de la comunidad de Nueva York, saliendo por la puerta. No tenía en ese momento forma de saber que se trataba de la casa del plomero que haría algunos arreglos a las cañerías de la mezquita. La sheika nos había engañado a todos. Al médico de mi confianza, a las enfermeras, a la sirvienta y a mí. A Duja no pudo mentirle, pues nuestra derviche cantante había abandonado de manera sigilosa el jardín donde estuvo colocada la mesa de madera. En ningún momento la sheika se estuvo dirigiendo con el Datsun a la sucursal del hospital. Ella sabía desde un principio que, antes que nada, el sistema de drenaje de la mezquita necesitaba un arreglo. Tenía conocimiento, además, de que se necesitaba de piletas para que los fieles nos entreguemos a nuestras abluciones con la mayor de las comodidades.

Como no entiendo la situación de que estamos en realidad frente al hogar del plomero, veo a la sheika Fariha saliendo de esa casita como si fuera lo más normal del mundo. Pienso que tal vez la ha rentado para pasar una temporada en México. La sheika Fariha, vestida con prendas suntuosas y abalorios, me dice al verme que el próximo Ramadán me traerá consigo un perro saluki, el can preferido por el islam. Repite que me lo ofrecerá el Ramadán, no ella misma. No lo creo. Pienso que la sheika Fariha hará todo lo posible por conseguirme un ejemplar. Supongo que será un cachorro de saluki. No un perro en su edad adulta. Me imagino que en Nueva York hay criadores especializados en esa raza. Como muchos deben saber, el saluki es el perro de los beduinos del desierto. Es un perro de la arena, cazador por excelencia. Un perro de la arena que no desentierra muertos con sus uñas. Por eso fue el único aceptado por los seguidores del Profeta Mohammed —la paz sea con él—, porque otras variedades caninas intentaron profanar su tumba. Es la razón porque los compañeros del Profeta —la paz sea con él— mandaron eliminar a todos los perros existentes de La Meca a Medina. Los salukis fueron los únicos que escaparon al mandato. Curiosamente, a pesar de haber sido en su momento la única variedad sobreviviente, hoy son casi imposibles de encontrar. Generalmente, para hacerlo, para hallar uno auténtico, hay que efectuar largos viajes a través del desierto. Búsquedas la mayor parte de las veces infructuosas, pues un beduino muy raramente se deshace de alguno de sus ejemplares. Se trata de perros tan raros como el Izcuintepozoli, sobre el que parece no haber caído ninguna bendición divina capaz de preservarlo. Para mí la única imagen que queda de aquel eslabón perdido es la protagonizada por la anciana fabricante de canastas caminando, con un paso muy parecido al de Duja mientras abandona el jardín, con su criatura entre las manos. Sin embargo llego a confiar en la sheika Fariha, quien repentinamente salió de la casa del plomero como si se tratase de la suya. Repito, la sheika Fariha, llena de prendas suntuosas y abalorios, me dice al verme que el próximo Ramadán me traerá consigo un perro saluki. Vuelve a decirme que me lo traerá el Ramadán, no ella misma. Que espere con ansia y alegría el Ramadán. Que no tema a esas fechas. Que ya está bien de sufrimientos. Que de ahora en adelante me corresponde la dicha. Que comenzará con la llegada del perro que no es perro.

A pesar de haberla visto salir por la puerta de esa casa no se trataba, ni lejanamente, de una propiedad rentada por la sheika Fariha. En el frente había abandonadas una serie de carrocerías de autos. También restos de tubos y de materiales de construcción. Ante mi sorpresa –pues seguía pensando que nos dirigíamos a la sucursal del hospital indicada por el médico– la sheika dijo que estábamos en la casa del plomero que haría arreglos en las tuberías de nuestra mezquita. Constatar el supuesto engaño me llevó a recordar lo desolados que estuvimos una vez Málika, mi derviche preferida, y yo, porque era fin de año y no se habían programado reuniones en la mezquita. Nos encontrábamos en el departamento de un casi desconocido hermano musulmán, se trataba de un sunita que habíamos conocido en extrañas circunstancias, quien muy amablemente nos invitó a su casa donde tendió alfombras para hacer las oraciones, las cuales cumplimos con rigor, pero igualmente nos sentíamos desolados. La verdad era que con aquel sunita –como se sabe una rama del islam– a nuestro lado no nos sentíamos entre los nuestros. Por más que compartiéramos el ritual teníamos la sensación de que éramos ajenos a su fe. Finalmente, salimos del departamento y tomamos dos autobuses. Málika se fue en uno y yo en otro. Nos dirigíamos al mismo destino, por lo que me causó sorpresa no darnos cuenta del absurdo que era viajar cada quien por separado.

La escena se parece mucho a la que visualicé la noche anterior al atropello de Cherifa. El autobús en el que la vi a ella en compañía de la esposa de su hijo –Rajmana– era similar. La diferencia entre el viaje que realicé después de salir de casa del sunita y el anterior es que ahora me encuentro solo. Málika está haciendo un trayecto similar pero en el otro autobús. Cuando menos lo espero llegamos al destino: una explanada. Ya no está presente en la escena el autobús en el que viajó Málika. Arribó hace unos momentos y acaba de partir. Curiosamente, en lugar de pedirle al chofer que lo siga, bajo para darle el alcance corriendo. Quizá confío demasiado en mi velocidad. Recuerdo el día en que perseguí unos metros el auto verde donde viajaban la sheika y Nadira, la derviche que estaba furiosa conmigo por el asunto de la aparición de la sheika en la revista *Playboy*. Pienso que el autobús de Málika desaparecerá sin remedio. Además, no entiendo la razón por la que en ese vehículo viaja mi mochila con mis pertenencias dentro, especialmente mi computadora con todo lo que he escrito en mi vida hasta este momento. Quizá Málika me hizo el favor de cargarla cuando salimos del departamento donde hicimos la oración.

La explanada está situada en medio del desierto. Corro unos cuantos metros. Me desespero porque no puedo decirle a Málika que debemos formar una nueva mezquita, una de emergencia, para cuando el resto de los adeptos no se encuentren presentes. Estoy convencido de que se necesitan dos mezquitas que vayan paralelas. Alguien dice que eso sería malo. No sé quién lo afirma. Quizá sólo se trata de una voz del desierto, que escucho mientras corro. Pero, haciendo memoria, sé que esa frase es dicha por uno de los personajes retratados en mi último libro. La pronuncia el marido de la mujer de alta alcurnia. Ha dicho esas palabras sin moverse un milímetro de la cama donde se encuentra acostado. El libro continúa en su lugar. Ni una página se ha movido.

El personaje retratado en el libro añade que una segunda mezquita sólo causaría mayor confusión. Ya ese año han tenido suficiente con la aparición de un sueño místico publicado en la revista *Playboy*, con un atropellamiento en la misma esquina de la casa de oración, y con una visita de la sheika a la sala de urgencias de un hospital. «Dios nos libre de repetir esos acontecimientos por dos», sentencia. Reparo entonces en que ignoro de qué está enfermo ese hombre. La esposa nunca me lo aclaró. Puede ser que su estado de salud esté quebrantado por algún motivo de orden espiritual.

Puede ser también que haya enfermado por la compañía constante de los perros.

La sheika añade, ya no sé si al hombre con el libro encima o a mí mismo como pasajero de su destartalado Datsun, que había concertado la cita con el plomero ese mismo día, un poco antes de sentirse mal. Lo hizo convencida de que la mezquita ya no podía seguir soportando desperfectos de tal magnitud. Por más que le había rogado a un tal Hazim –el que todo lo da–, mi amigo enfermo, la situación era intolerable. La mezquita estaba a punto de convertirse en una de las pocas que le negara a los fieles el derecho a la ablución. Y más aún a los peregrinos, puntal importante de la orden. Dar asilo a aquellos que se encuentran en peregrinación es una de las obligaciones primeras que cualquier derviche debe observar. Precisamente, el tal Hazim, antes de que lo soñara era un peregrino que llegó a la mezquita durante una noche de oración. Lo sé porque la sheika en aquella ocasión tuvo muchas atenciones hacia su persona. Desde siempre he notado esa particularidad en la conducta de la sheika. Muchas veces prefiere hablar sólo con personas nuevas. «Mientras te llames Hazim nada malo te podrá suceder», le dijo apenas lo descubrió. Sin embargo, la sheika ignora que es mi compañero enfermo, con el que más de una vez me ha tocado rodear ciertas mezquitas

117

desconocidas, las que aparecen como traídas de la nada. «El palacio es el mismo palacio, por más lejano que esté, por más vetusto que luzca, es el mismo palacio y está listo para recibirnos», repetía cada vez que una de esas mezquitas se aparecían en todo su esplendor ante nuestros ojos.

En cierta ocasión, a espaldas de la sheika, Hazim comenzó a proferir en voz alta. Dijo que se podía hacer uso libre de los palacios, entrar libremente a ellos, hacer las abluciones como a uno le viniera en gana. De esa manera los peregrinos verían fluir de forma espontánea un agua fresca. Afirmó asimismo que los habitantes de los alrededores escucharían sólo de ese modo el llamado divino. Sabiendo que los esperaba un agua cristalina. Yo pensé en los edificios de departamentos que rodean la mezquita. Me imaginé a las familias que los habitaban. Los vi dejando de pronto sus quehaceres cotidianos para salir a encontrarse con aquella extraña voz. «Y sus corazones se pondrán jubilosos al oírla», solía terminar Hazim los discursos que pronunciaba cuando la sheika no estaba presente. Nunca supe por qué predicaba durante las ausencias de la sheika. Me imagino que para ella las palabras de Hazim podían ser incluso gratas. Hazim, como se sabe, era un peregrino enfermo. Y las palabras pronunciadas por alguien así tenían por fuerza que ser agradables a la sheika. Ella siempre había dicho que el peregrinaje y la calidad de mártir son el elemento en común que comparten los santos de la orden.

Yo estaba de acuerdo con una idea semejante. Sé que todos los santos son peregrinos. Sé que todos están enfermos. Sé también que no existe un santo en especial. Todos son uno. Todos son el mismo santo. Es de este tema de lo que hablo en mi último libro publicado. En el libro donde los personajes, a pesar de salir mal parados, están complacidos con la obra. Sin embargo, tengo una serie de obsesiones que me impiden ser claro. Los perros Izcuintepozoli, por ejemplo, el artículo aparecido en la revista *Playboy,* la muerte de Nuh, la falta de atención que recibí en el hospital. El atropello de Cherifa. La mujer musulmana sacando billetes de su pecho. La voz que imitaba de niño haciéndome pasar por una sirvienta en busca de trabajo. Los zapateros ambulantes tratando de hacer de mi brazo un adminículo decente. La trágica muerte de mi amigo en un poblado cercano a la frontera. El perro que halló el regreso del zoológico a su casa sólo a través del olfato. Sin embargo, mientras la sheika no baje de su Datsun es poco de lo que se puede hablar.

La sheika me informa que no hace falta que le digan que abandone su auto. Recuerdo que en más de una ocasión se tuvo que hacer uso de una piedra para golpear la batería del coche y lograr así que encendiera. Ella sabrá perfectamente cuál es el momento adecuado para dejar el vehículo. Asegura que está cansada de aquellos que todo el tiempo quieren indicarle cuál es la conducta correcta que debe observar una sheika. Ella bajará del Datsun por sus propios medios. Sin embargo, una vez que desciende se agacha, se presiona el estómago con ambas manos pero afirma que ya se encuentra curada del todo. Abandona su postura y con paso decidido se dirige hacia la casa. Puedo notar que las borlas de sus zapatos arrastran por el terreno fangoso. Veo cuando el plomero sale a la puerta. Fariha se encuentra a un lado. Quedo confuso. Mientras tanto, en el asiento de atrás, la sirvienta continúa sin decir palabra.

Un personaje en apariencia moderno

En ese entonces, no recuerdo los motivos para que esto ocurriera, tenía una novia alemana. La muchacha en realidad pertenecía a una especie de etnia germana que por razones no muy claras había vivido desde muchas generaciones atrás en la frontera austro-italiana. Su padre regentaba un club de esquí en los Alpes. Me invitó más de una vez. Sin embargo, por algún motivo que ahora no me viene a la memoria, un ofrecimiento de esa naturaleza me parecía una completa tontería. Ella era guapa y se interesaba en las letras. Tenía cierta afinidad con la literatura, aunque ignoro en qué consistía exactamente su tema de estudio. En aquel tiempo yo estaba buscando un auto. No un auto normal. Me empecinaba en conseguir un Renault 5 de los años setenta. Uno en buen estado. No podía creer que un diseño de tal magnitud pasara inadvertido a buena parte de la población. Hice muchas llamadas a los avisos que aparecían en los periódicos de las oportunidades. Conocí, yendo tras el rastro de estos coches, algunas de las zonas periféricas de la ciudad. A esas alturas, era la segunda mitad de los años noventa, aquellos autos habían sido casi desechados por el mercado. Estaban circunscritos a los suburbios.

Aunque, tal como se han presentado las cosas, es imposible que en ese entonces hubiese tenido una novia alemana. Sobre todo tomando en cuenta que mi padre es un simple técnico –en realidad un agrimensor–, mi madre una ama de casa, y yo soy la hija menor de la familia. Desde niña me han dicho que parezco una pequeña muñeca. Las que suelen presentarse en los teatros de marionetas. Tengo dos hermanos. Uno trabaja para una compañía de aviación que realiza vuelos nacionales solamente. El otro es constructor de casas y padre de tres hijos. Es curioso que con mi edad –cuento cuarenta y seis años– y con mi figura –como señalé, parezco una muñeca– pueda ser considerada tía de alguien. Menos aún novia de una alemana. Pero en este caso soy tía de los tres hijos de mi hermano el constructor. Una tía cariñosa además. Cuando puedo robo algo de la billetera de mi padre y les compro algunas golosinas. Pese a actuar con soltura, me siento muy extraña cuando llego a la tienda de la esquina. Temo siempre que el dependiente note que se trata de dinero robado. Sin embargo, sé que me suele salvar de estos trances la edad que aparento, no la que poseo realmente.

Pero, a pesar de mis circunstancias, insisto en que en ese entonces tenía una novia alemana. Con la que fui a comprar un auto Renault 5 además. Como no es raro en mí, para conseguir ese vehículo me puse en contacto, a través de los periódicos a los que me referí, con una serie de tipos extraños. Conocí, por ejemplo, a alguien que, aparte de poner en venta su propio auto –que por alguna razón no recomendaba–, sabía de otro en perfectas condiciones, que además no querían vender, y cuyo propietario vivía aproximadamente a cuarenta kilómetros de distancia. El tipo se comprometió a hablar con aquel sujeto para convencerlo de que se deshiciera de su vehículo. Me pareció todo fuera de lo normal. Sin embargo, le di mi número de teléfono. Curiosamente me llamó dos días después, para decirme que había hablado con el dueño pero no había logrado aún que cambiara de opinión. Necesitaba refuerzos para hacerlo modificar su idea, me dijo. Debíamos ir juntos a su casa para hablar personalmente con él. Terminó la conversación describiendo el coche. Rojo con los interiores crema. Cuando acabó me dio los datos para encontrarnos al atardecer del día siguiente. En la puerta de un cementerio ubicado en las afueras, última parada de un metro suburbano, señaló. Él me llevaría, en su propio auto –que me dijo le daba algo de vergüenza mostrar–, hasta la casa de aquel hombre.

A mí todas esas indicaciones me sonaron normales. Aunque estoy segura de que cualquiera hubiera desistido de irse a encontrar con un desconocido en la puerta de un cementerio. Pero yo crecí moviéndome por una infinidad de zonas de la ciudad, las conozco por igual. De cada casa nos echaron en medio de amenazas. No sé si mi padre no pagaba a tiempo los arriendos o si se cumplían demasiado rápido los plazos especificados en los contratos. El caso es que más de una vez tuve que bailar danzas folklóricas delante de los propietarios, esperando que de ese modo se apiadasen de nuestra situación. Desde que cumplí los treinta años vengo haciéndolo en forma regular. Es decir, desde antes incluso de dominar el castellano. Recuerdo que al arrendador solían sentarlo en uno de los cojines principales, furioso, y yo comenzaba a mover mi cuerpo haciéndome pasar por una verdadera marioneta. Tras, tras, tras, daba unos pasos hacia la izquierda..., tras, tras, tras, daba otros hacia la derecha. En el techo de la sala mi padre había instalado un ingenioso sistema, integrado por delgadísimas cuerdas de nailon que daban la impresión de que mis pasos eran comandados por alguien con mucho talento en aquel arte. Sin embargo, ninguno de los propietarios a quienes les bailé cambió nunca de opinión. Esperaban a que terminara el espectáculo completo, algunos duraban cuatro horas o más, los más largos eran los que trataban de demostrar mis sentimientos hacia la madre naturaleza. Pero finalmente daban la orden a sus hombres para que iniciaran el desalojo. Todas nuestras cosas estarían en pocos minutos en la calle. Mi madre se ponía a llorar, a pesar de los galones militares que poseía. Se arrodillaba en medio de la sala y se arrepentía de haberse unido en concubinato con un descendiente de traficante de esclavos –los antepasados de mi padre se habían dedicado a transportarlos de África a América–. Yo entretanto debía desenredar las cuerdas que me habían convertido en marioneta por unas horas, sin saber dónde refugiarme. Iban apareciendo entonces, uno a uno, el resto de los integrantes de la familia. Unos llevaban ya cargando sus pertenencias: el empleado de la compañía de aviación, el constructor y sus tres hijos. Todos rodeaban a nuestro padre, quien desorientado no sabía qué actitud tomar. Debía responsabilizarse por la familia. Sobre todo por mí, ya que soy la menor de los hermanos. Mis pequeños sobrinos, por quienes habitualmente tenía que convertirme en una suerte de ladrona, no podían competir conmigo y quitarme el privilegio de ser la más necesitada de cariño y protección.

No sé qué pensaría, en aquel entonces, mi novia alemana de mí o de la gente de este país. El caso es que aceptó, con absoluta naturalidad, mi propuesta para acompañarme a la expedición para ir en busca del Renault. Salimos al mediodía. Era verano. Ella vestía una falda corta y una blusa sin mangas. Al llegar a la estación del metro tuvimos nuestro primer inconveniente. En esos días habían cambiado de manera intempestiva las tarifas. El boleto ya no costaba la unidad entera de siempre, sino que le habían añadido una fracción ridícula pero suficiente para que se formaran filas descomunales en las boleterías. Todos, cajeras y usuarios, estaban agobiados por el cambio. Se me ocurrió entonces eludir esa enorme cantidad de personas utilizando la pequeña puerta gratuita para los minusválidos que se encuentra al lado de los controladores automáticos. Debíamos montar un pequeño número para no ser descubiertos. Yo me encorvé lo más que pude fingiendo una parálisis. Mi novia debía hacer el papel de la enfermera. Tenía que abrazarme como si mi estabilidad dependiera de su presencia. Cruzamos de esa forma. Delante de un sorprendido policía que no tuvo otra alternativa que dejarnos pasar. No me explico por qué, pero en ese mismo momento se encontraba al otro lado, de pie, un periodista de la sección cultural de un prestigioso diario. ¿Qué hacía allí? ¿Esperaba a alguien? Debo decir, en este momento, que era importante que me viera en esas circunstancias un periodista cultural, iba a descubrir no que se encontraba ante la presencia de una pequeña marioneta acompañada de su novia alemana, sino del escritor Mario Bellatin. Fue inútil tratar de explicar la relación entre el cambio en el precio de los boletos y mi figura encorvada, asistida por una bella mujer, atravesando la puertita reservada a los minusválidos que utilizan el transporte subterráneo.

Mi prestigio estaba en juego delante de aquel periodista. Era muy probable que publicase una nota en el diario en el que trabajaba, afirmando que me había visto tratar de viajar gratis. Le quise decir que me sentía como un conejo antes de morir. Pero no lo hice. Quizá se me ocurrió una figura semejante, la del conejo muerto, porque mi actividad favorita en la niñez era la de criar animales. Incluso mantenía, en algunas de las casas que habitamos, pequeños zoológicos que desmontaba apenas nos llegaban las notificaciones de desalojo. Hasta que, de un momento a otro, decidí no seguir ejerciendo aquella actividad. Tuve que olvidarme de los animales. Del zoológico y de la venta de las crías. Eso ocurrió cuando estuve cerca de cumplir los cuarenta años, y mi padre me ordenó dedicarme a un oficio más acorde con mi sexo y mi situación. Creo que estaba viendo la posibilidad de que llegase a formar mi propia familia. Era una opción que me aterraba. No me sentía preparada para ello. Mi padre seguramente elegiría entre alguno de sus amigos. No quería ni pensarlo. Hubiera preferido seguir con la actividad de pararme en las puertas de los supermercados para ofrecer mis animales en venta. Dicen que se me veía muy graciosa, con mi espigada figura junto a la bicicleta, en cuya parte trasera había instalado una pequeña jaula. Yo no tendría entonces menos de treinta y cinco años de edad. Era una verdadera locura –estaba demasiado expuesta al deseo de los hombres–, permanecer por horas sola en la calle, ofreciendo a los transeúntes las crías de mis gatos, de mis palomas, de mis ardillas. A veces llevaba también mis ratas de laboratorio. Yo las tenía entrenadas para que se mantuvieran encima de mi hombro, alejando de esa manera a los sujetos que quisieran propasarse. Lástima que la más feroz de ellas, la que los apartaba de una manera eficaz, muriera en manos de mi hermano, el empleado de la compañía de aviación. No sé qué repulsión le causaba. Qué sentimientos despertaba en él mi animal. Ése y no el resto de las ratas. El caso es que cierta mañana, cuando todos dormíamos en el gran cuarto que mi padre había adaptado, mi hermano se levantó antes de la hora de costumbre y fue a mi pequeño zoológico para sacar mi rata preferida. Antes había puesto, en la cocina, una olla de agua a hervir. Arrojó al animal sin ninguna clase de compasión.

En la jaula que he instalado en la bicicleta, cada animal cuenta con su propio compartimiento. No quiero que las especies se coman unas a otras, ni que se den cruzas inconvenientes. Aparte de estar sola en la calle, otro de los asuntos que afronto durante mis estancias frente a los supermercados es el tema de la cobranza por las ventas. No estoy acostumbrada a manejar dinero. En mi casa siempre me lo han tenido prohibido. Mi padre ha considerado el dinero algo pecaminoso. Su relación con él ha sido muy reglamentada. Nunca lo ha tenido y defiende con obsesión las monedas que pueda atesorar. Aunque se permite hacer pequeños negocios, como el que establece a partir de mis animales, así como otras transacciones menores. Eso hace que se procure, a veces, ciertas cantidades.

Después de aquel viaje en subterráneo, que sin mayores contratiempos realicé junto a mi novia

131

alemana, tuvimos que esperar cerca de media hora delante del cementerio señalado. Apareció, de pronto, la figura de un hombre alto, quien nos dijo que nunca hubiera imaginado que fuera cierta mi promesa de presentarme por allí. Pero parece que su sorpresa mayor fue ver que había acudido en compañía al encuentro. Se le vio fascinado con mi novia alemana. Dijo que ahora le daba más vergüenza que nunca mostrar su Renault 5, aunque señaló que era rojo como el que iríamos a visitar. Finalmente, después de una serie de dudas, aceptó que subiéramos a su coche. Lo había estacionado un poco alejado porque primero quería cerciorarse, si es que aparecía, de qué clase de persona era yo. Cuando vimos su auto advertimos que estaba destrozado. Apenas contaba con parte de la carrocería. Sin embargo, señaló que el motor se encontraba en excelente estado. Que hacía un poco de ruido pero era normal. No quería invertir en silenciadores un dinero que podía utilizar para hacerle una serie de mejoras que aumentaran su potencia. Subimos. El olor a aceite, a taller de mecánica, era penetrante. Emprendimos el viaje. En efecto, el pequeño auto era veloz. Inestable también. Nos desplazábamos a toda la velocidad posible y sentíamos cómo se zarandeaba de un extremo a otro de la carretera. Casi no podíamos escuchar lo que el hombre nos decía. La velocidad y el fuerte ruido del motor hacían imposible cualquier comunicación. Sí podíamos entender que nos iba señalando una serie de lugares. En general, la cárcel y algunos cementerios. Fue extraña la manera en que aminoró la velocidad cuando pasamos frente al hospital principal de la zona. Nos lo mostró con exactitud. Algunos kilómetros más adelante tomó una carretera secundaria.

No tuve miedo. Estoy más que acostumbrada a tratar con extraños. Me he habituado a ellos, sobre todo en las puertas de los supermercados. Allí la gente selecciona su animal elegido, yo le coloco una marca en la oreja, y después debe pasar por la casa para hacer con mi padre las negociaciones correspondientes. La última vez, hace ya varios años, ocurrió un verdadero desastre. Debíamos dejar cuanto antes la casa que habitábamos, ya la amenaza de desalojo era inminente, y mi padre hizo tratos con un tal señor Dufó para comprar mi pequeño criadero de conejos. Se trataba de diez ejemplares de Gigante de Flandes. El señor Dufó, viejo conocido de mi padre, llegó con sus hijos en un pequeño Karmanghia a desmontarlo todo. Se llevaron en pocos minutos las jaulas. Una semana después fuimos a cobrar el primer pago. Entramos al patio de su casa. Lo que más me impresionó fue que los conejos se empezaran a desesperar al reconocerme. Parece que el señor Dufó no los alimentaba como era

133

debido. Quise decírselo a mi padre, pero su mirada me hizo callar. No me asombró. Sé que cualquiera podía acusarme de lo que quisiera y mi padre siempre le daría la razón. En ese momento, por ejemplo, a pesar del agravio que significaba no pagar los animales y, sobre todo, no haberles dado de comer, reía con su amigo.

Las cosas cambiaron desde el momento en que el hombre guiando el Renault destartalado se desvió por la carretera secundaria. Las palabras que el sujeto iba pronunciando sin cesar, y que habíamos escuchado en forma entrecortada, nos llevaban a una suerte de desasosiego. La presencia de ese hombre y su interés por las cárceles, cementerios y hospitales del camino me causaba intranquilidad. Aparecieron de pronto dos tiraderos de autos. En un acto que ahora considero infantil, traté de descubrir algún Renault entre las montañas de coches amontonados. Mi rápida pesquisa fue inútil. El hombre comenzó entonces a hacernos preguntas personales. Primero inquirió sobre la manera en que nos habíamos conocido mi novia y yo. Si nos queríamos mucho. Yo veía cómo aquel sujeto, de cuando en cuando, le iba echando miradas a mi novia por el espejo retrovisor. Preferí proseguir con la vista en el paisaje. El auto continuaba avanzando. Pregunté si estábamos cerca y, extrañamente, el tipo me contestó que nunca se estaba cerca de nada. Pero que sí, que siempre habíamos estado próximos al auto que buscábamos. Hice preguntas sobre algunas características específicas de ese coche, como si mantenía las piezas originales y cosas así. Me alarmé cuando advertí que el sujeto no siguió ese hilo de la conversación. Era la primera vez, desde que habíamos entablado por teléfono la comunicación, que no entraba de lleno en el mundo de los Renault 5.

Creo que soy algo mentirosa. Repito que no es cierto que haya tenido una novia alemana y nunca, además, he pensado en la posibilidad de comprar un auto. Ni siquiera un Karmanghia, como el que posee el desagradable señor Dufó. Tampoco es cierto que todas las veces nos echaran de las casas por medio de órdenes judiciales. No siempre salimos de ellas ahuyentados por los arrendadores. Hubo al menos una ocasión en que las cosas fueron diferentes. En vez de una orden judicial, encontramos una mañana vehículos que nos esperaban delante de la puerta. Iban a demoler la casa. Se trataba de nuestra casa familiar, la de nuestra estirpe, en la que habíamos vivido desde siempre. Nuestros problemas con los arrendatarios vinieron después. Precisamente porque fuimos despojados de esa casa heredada de mis antepasados. Iban a construir una vía rápida que uniría el norte con el sur de la ciudad, que atravesaría justamente por la mitad del salón. Mi padre parece que anticipó aquella situación algún tiempo atrás. Durante un sueño. Me lo dijo cierta mañana, cuando me estaba probando unas medias color carne para celebrar la terminación de la escuela primaria. Se trataba de un momento importante de mi vida. Yo era la única en el salón que podía usar medias de ese tipo. Quizá porque pronto iba a dejar los estudios para siempre. Mi padre se levantó de la cama afirmando que había soñado que era un perro callejero que deambulaba por la ciudad. Al llegar a la casa familiar –la que después fue derribada– se encontró en su lugar con una avenida rápida. Con los vehículos circulando a gran velocidad en uno y en otro sentido. Yo traté de no oír aquel sueño y seguí probándome las medias. Aunque me causaba cierta gracia imaginar a mi padre convertido en un perro sin dueño.

En cierto punto del camino, el hombre del Renault sugirió detenernos a beber unas cervezas. Habló de un lugar, no muy alejado de la ruta, donde lo conocían bien. Inesperadamente, sin darnos tiempo de contestar viró el rumbo. Cuando llegamos a la cantina sugerida notamos que en la puerta había estacionados tres Renault 5 de diferentes colores. Creí que uno de ellos era el que habíamos ido a buscar. El sujeto me sacó de mi error diciendo que el hombre empecinado en no venderme su coche nunca salía de su casa. Es más, aquélla era la razón por la que el auto se encontraba en tan buen estado. Fue entonces cuando recordé ciertos sucesos anteriores al encuentro con ese sujeto en la entrada del cementerio. La aglomeración en el metro. El paso por la puerta gratuita de los desvalidos. Me acordé también de mi encuentro con el periodista cultural. La cara de asombro cuando me vio aparecer. Mi novia abrazándome, cuidándome los pasos como si fuera a caer en cualquier instante. Frente a la cantina, al ver los tres autos, me pregunté sobre las causas de mi interés por esos coches. El hombre seguía hablando. Mi novia estaba atrapada en el asiento de atrás. El auto se encontraba detenido. Caía sobre los vidrios un molesto sol de la tarde. El calor se hacía sofocante. El motor fue apagado. Me pregunté si el número telefónico de aquel tipo, el que apareció en el periódico de las oportunidades, sería el suyo en realidad. El hombre bajó del auto. Sin cerrar la puerta se dirigió a la cantina. Miré hacia atrás. Imaginé lo que pensaría en ese momento el padre de mi novia alemana, que vivía en los Alpes, al ver a su hija en aquel asiento. Luego vi acercarse al hombre alto. Venía acompañado de dos sujetos más. Cada uno lucía una camiseta con la marca Renault en el frente. Quizá, pensé, delante del refugio nevado, donde el padre atendía a esquiadores de vacaciones, también se estacionaría un Renault de vez en cuando. Decidí irme de allí. Salí del coche y comencé a caminar. Cada vez más rápido.

No me arrepiento de la experiencia. En cambio, sí siento cierta culpa cada vez que me acuerdo del sueño que mi padre, mientras me ponía las medias color carne para celebrar la terminación de la escuela, me contó. El sueño lo relacionaba con la conversación que él días atrás había sostenido, a mis espaldas, con la directora de la escuela donde estudiaba. Parece que la directora había hablado con mi padre para decirle que yo era ya toda una señorita y era poco lo que se podía hacer por mí. No había forma ni siquiera de que aprendiese a escribir mi nombre correctamente. Yo ya era una señorita, me lo repetían, aparte de la directora, las maestras una y otra vez, por eso debía usar, a diferencia de las demás alumnas, que llevaban sus calcetas de lana, medias de nailon color carne. Mi madre parecía la más entusiasmada con la idea de que las usara. Le rogó a mi padre que me las comprara. Mi padre era el de la decisión final. De aceptarla tendría que ir, él solo, hasta los almacenes del centro para pedirlas. Buscaría las más baratas. Ahora es fácil encontrarlas de todos los precios. Las importan de muchas partes del mundo. No era igual durante el tiempo de la guerra, me lo decía mi madre. Por eso tal vez su entusiasmo. En ese entonces recibió los galones militares que hasta ahora detenta. Por haber soportado con estoicismo los años más duros de la invasión extranjera. Me contó que no se atrevía a decirme lo que ella y sus amigas fueron capaces de hacer por conseguir las medias de nailon cuando las tropas de liberación ingresaron en la ciudad.

Yo estaba nerviosa. Terminaba por fin mis estudios. En ese entonces no podía tener idea de lo que el futuro me iría a deparar. En la escuela había sido una pésima alumna. Todo el tiempo sufría las amenazas de las maestras. Decían que, en mis circunstancias, estaba incapacitada para seguir una vida escolar normal. La única que parecía guardarme cierto afecto era la maestra de ballet. Aunque quizá esto tampoco sea del todo cierto. Con los recursos mínimos que poseíamos es difícil que en mi escuela hubiera clases de baile. Todos los pasos. El tras tras tras hacia la izquierda y el tras tras tras hacia la derecha yo los he inventado. Según las maestras, me esperaba un futuro negro. Por eso, a veces, decidía escaparme de la escuela y con una pequeña amiga, con quien compartía mi afición por los animales, iba a visitar a las personas que habían puesto avisos en los diarios informando que vendían mascotas. Cierta vez tuvimos una experiencia con un anciano que ofrecía hámsters, quien se encerró con mi compañera en un baño por tiempo indeterminado. Sólo escuchaba, a través de la puerta, el llanto de ella. Comencé a hacer en ese momento el número de marionetas. Ignoro qué intentaba lograr con eso. Creo que incluso inventé algunas cabriolas. Me salieron mejor que nunca. Se me ocurrió para esa ocasión un número corto. De no más de cinco minutos. Lástima que no hubo quien me viera hacerlo. La puerta permaneció cerrada. Aquel anciano, antes de que nos fuéramos, nos obsequió un par de pequeños animalitos. Recuerdo que uno era blanco y el otro rosa. Por más que traté de animar a mi amiga en el camino de regreso, no lo conseguí. Traté también, sin éxito, de hacerle un número musical utilizando a las pequeñas hámsters. Las así de las patas delanteras y las obligué a bailar. Al final, era tan grande su tristeza, que decidimos dejar a las mascotitas sueltas y nos alejamos una de la otra sin darnos siquiera un beso de despedida.

Tuve entonces que buscar otra amiga, para mí era muy fácil convencerlas. Con ella me aventuré hasta la facultad de veterinaria, que se encontraba en las afueras de la ciudad, donde robamos un cerdo recién nacido. Mi familia, para mi asombro, lo adoptó de inmediato como una mascota más. A partir de entonces no pude librarme de la angustia que me causaba oír a mi padre contarnos, a mi madre, a mis hermanos y a mis sobrinos, reunidos todos en la gran cama, el triste destino que sufrieron muchos cerdos durante la guerra. En la casa mis abuelos habían mantenido uno en esa época. Solían tenerlo todo el tiempo atado a la bañera. Se lo iban comiendo a pedacitos. Le cortaban el trozo destinado para la cena de cada día, y en forma diligente curaban de inmediato la herida causada. Al cabo de medio año, de aquel cerdo sólo quedó el tronco. Mi padre recordaba que el animal murió sin ninguna razón aparente. De buenas a primeras lo encontraron una mañana inerte en la bañera. Murió precisamente un día en que no se tenía pensado rebanar ninguna tajada.

Recuerdo que miré, el día siguiente a la aparición de los bulldozers con la orden de destruir la casa, los restos de la demolición. Mi padre seguramente quería, en ese momento, comerciar con aquello que hubiese quedado sin dañar. Algunas puertas y ventanas que los usureros, que suelen apostarse alrededor de las destrucciones de casas, comprarían. La jornada anterior ya había vendido una gran cantidad de piezas, pero todavía podía quedar algo oculto. Yo no veía más que escombros. Curiosamente, en medio del desastre, no aparecieron rastros de las pulgas que me habían acosado mientras habité aquella casa. Mi madre me contó algunas escenas que se desarrollaron cuando aún no tenía uso de razón. Dijo que a veces, desesperada por la comezón, me escapaba desnuda a la calle. Que me quitaba las ropas, las faldas, las enaguas, los zapatos de tacón, para salir a un terral que se extendía frente a la fachada principal. Según me contó mi madre, la vergüenza mayor que exhibía mi cuerpo no era la desnudez —en esa época creo que mis pechos ya amenazaban con descolgárseme—, sino la piel plagada de picaduras. Para amainar la plaga de pulgas mi madre hacía una bola, formada por varios calcetines unidos, que colocaba debajo de las sábanas de la gran cama, que salvo los abuelos, quienes contaban con un par de literas ubicadas a los lados, toda la familia compartía. Las pulgas, después de saciarse con nuestra sangre, buscaban en esa bola refugio gracias al calor que la textura les ofrecía. Al día siguiente era muy fácil sacar esa bola, arrojarla a una olla con agua hirviendo —como hizo mi hermano con mi rata preferida—, ponerla a secar y colocarla nuevamente debajo de las sábanas.

Una vez que se llevó a cabo la demolición, mis abuelos fueron entregados a ciertas almas caritativas. Nunca más los volvimos a ver. Fueron adoptados, por decirlo de alguna manera, por la gente que vivía cruzando las vías del ferrocarril. Me parece que esa línea fue lo que marcó desde siempre nuestra estirpe. Una cosa era vivir de este lado y otra muy diferente tener la casa cruzando los rieles. Aunque mi abuela siempre dijo que se tuvo la oportunidad de comprar un terreno muy bonito en el otro lado. Lo malo es que tenía una forma un tanto oblonga. Quizá por eso mi padre, para darles a mis abuelos, en sus últimos momentos, alguna satisfacción, luego de la demolición los entregó a esa gente. Mi padre le colgó a cada uno un cartel en que se mencionaba la necesidad de que fueran recogidos lo más pronto posible. Esas almas tenían como misión transportar a los ancianos perdidos hasta los confines de la ciudad. Cuando me enteré de esto, quedé muy preocupada por lo que habría ocurrido en ese trance con la perra espaniel de mi abuela, pues, como se verá más adelante, salió en plena demolición llevando a su pequeño animal entre los brazos. Recuerdo haberlos visto, al abuelo y a la abuela con la perra cruzando las líneas del ferrocarril.

Mis abuelos no abandonaron la casa hasta el momento mismo de la demolición. Nosotros también permanecimos dentro hasta la llegada de las máquinas demoledoras, pero nos acomodamos en el galpón posterior, que en ese entonces pensábamos se libraría del empuje de los bulldozers.

143

Sacaron a mi abuela casi a la fuerza. De nada valieron los reclamos de los demás miembros de la familia. Saliendo de una casa a punto de ser derrumbada, mi abuela parecía una vieja dama que era despojada de su fortuna. Y lo era en realidad. Estaba acompañada, como se sabe, de su espaniel.

No es cierto, aunque algunos en mi familia lo afirman, que yo le compré la perra a mi abuela. Ni me la robé de ninguna parte. Aunque es verdad, eso sí, que existía la espaniel, a la que bautizaron con el nombre de la marca de unos calzoncitos para niñas muy popular en ese tiempo. No podíamos saber que las máquinas arrasarían con todo. No nos habían dado tiempo para prepararnos. Por eso se perdieron las pertenencias de mi hermano. Su uniforme de aeronáutica, con el que una vez al mes tenía que recibir la visita de sus superiores. La gran cama, en la que dormía toda la familia. Los biberones de mis pequeños sobrinos. Mi gigantesca bolsa de maquillaje, con el que algunas veces me pintaba para parecer menor de lo que realmente soy. Las jaulas de las ratas, de los hámsters, de los conejos. La pareja de gatos siameses. Las ollas y la estufa y, lo peor de todo, hirieron de manera leve a mi madre, quien, creo, tuvo algo de culpa por haberse querido aferrar hasta el final a las medias de seda y los cigarros importados que, a costa de mucho esfuerzo, había logrado le obsequiaran en los tiempos de la guerra las fuerzas de liberación. Aquello fue un horror. Las máquinas de los obreros. Sentimos entonces, por primera vez, la sensación de estar literalmente en la calle, con todas nuestras pertenencias al descubierto. Algunos animales se escaparon. Por lo visto, si damos por cierto lo que estoy contando, en esa época, cuando nos encontrábamos en el galpón de la parte trasera de la casa familiar, ya criaba animales. Pero estoy segura de que no tenía todavía mi pequeño zoológico en regla. Mis animales seguramente estaban sueltos. Subían y bajaban todo el tiempo de la gran cama. No debían ser muchos. Recuerdo de ese entonces a una pareja de ratas, tres conejos, dos gatos, un perro muy viejo, y al cerdo que, poco a poco, había comenzado a crecer. Para mí, el fortalecimiento de ese animal significaba una tortura cada vez mayor. Al final, el cochino fue entregado por mi padre a un garito con el que tenía relación, para que los jugadores se lo comieran. No sé por qué mi padre tenía relación con ese garito. Tal vez porque era un lugar donde el dinero pasaba de mano en mano con la mayor naturalidad. Cuando recién llevé al cerdo a la casa familiar tuvimos que alimentarlo con un biberón, que se turnaba con uno de mis sobrinos. Mi hermano el constructor me dijo que me prestaba el biberón de su hijo si me ocupaba también de la alimentación del niño. Es por eso que todo el tiempo tenía que darles del mismo biberón a los dos. Cinco minutos para el cerdo. Cinco para el sobrino. Hasta que la leche se acabara. Pero el cerdo creció mucho más rápido que la criatura. Y se le despertaron sentimientos tiernos hacia nosotros. Se convirtió en la mascota ideal. Me seguía a todos lados, incluso cuando robaba algo de dinero de la billetera de mi padre e iba a la tienda a comprar golosinas. El cerdo me era fiel como nadie. Más que la rata que poco tiempo después empecé a transportar sobre el hombro. Pero a él no podía llevarlo a clases. En cambio a la rata, ya que en la escuela estaba prohibida la entrada con animales, la dejaba antes de entrar en una alcantarilla cercana. Apenas daba un brinco y desaparecía entre las rejillas. Horas después, cuando volvía, bastaba un silbido para que nuevamente se me subiera al hombro. El problema del cerdo era que a medida que engordaba y demostraba ser mejor mascota que las demás, mi padre comenzó a amenazar con que se lo comería el día menos pensado. Un cerdo es un animal que se cría únicamente para ser consumido, sentenciaba con su lógica natural.

Una de las características principales de mi personalidad es mentir todo el tiempo. Creo que eso, de alguna manera, me hace más graciosa ante los demás. Sé que en las historias que suelen interpretar las marionetas siempre hay un engaño de por medio. Quizá por eso he asimilado a mi vida cotidiana aspectos de mis representaciones. Miento, por ejemplo, sobre mi edad. Miento siempre frente al vendedor de la tienda, pues muchos saben que el dinero con el que suelo comprar las golosinas para mis sobrinos es robado de la billetera de mi padre. No digo la verdad con respecto a mis aficiones. En realidad me interesa escribir libros. Hacerlos, inventarlos, redactarlos. Sé que apenas puedo escribir mi nombre, pero, casi nadie lo sabe, tengo hecho un volumen sobre perros. Está dividido en tres partes. La primera describe las razas caninas que conozco. Absolutamente todas las que he visto alguna vez en mi vida. Cuando después de la demolición tuvimos que abandonar la casa familiar y comenzamos a ir de un arriendo a otro, se tomó la decisión de que ya no estudiara más. Es falso, por lo tanto, que acostumbrara escaparme con una pequeña amiga a contestar los avisos colocados en los diarios sobre la venta de animales domésticos. No es verdad que cierta vez esta amiga quedara encerrada con un anciano que se dedicaba a la crianza de hámsters. No es cierto que yo bailara delante de la puerta cerrada, no la danza de más de cuatro horas dedicada a la madre naturaleza, sino unas simples cabriolas que fui improvisando para la

147

ocasión. Claro que a la raza de los espaniels les he dado un lugar privilegiado en el libro que he escrito a escondidas de los demás. También al perro viejo que me acompañaba desde antes de la demolición. En algunos periódicos fui encontrando diversos dibujos de perros. Los iba recortando con cuidado y los pegaba luego al lado de cada una de las descripciones que hacía de ellos. La segunda parte está dedicada a los animales que trabajan, allí está el perro dálmata de los bomberos, los pastores de los policías, y los san bernardo salvando a la gente en medio de la nieve. La tercera es la dedicada a los perros héroes, allí he inventado una serie de historias de animales que salvan a sus amos. En mi familia lo tomaron a broma cuando hablé de la existencia de un libro semejante. Sobre todo mi padre, quien estaba agobiado por mi estruendoso fracaso en la escuela primaria.

Inmediatamente después de la demolición, mi padre se perdió entre las calles de la ciudad. Estaba yendo seguramente a encontrar un lugar que nos pudiera dar cobijo. Estaría buscando desesperadamente un sitio para arrendar. Sería el primero de nuestra existencia. Comenzaría en ese momento la serie de padecimientos que toda la familia habría de sufrir los años siguientes, cuando los propietarios sacaran sin piedad, una y otra vez, nuestras cosas a la calle. Aún ahora, cuando tengo cuarenta y cinco años cumplidos, no puedo dejar de sentir miedo ante una inminente orden de desalojo. Cuando presiento una de esas acciones, voy en busca de mi traje de danzas folklóricas. Repaso mentalmente el tras, tras, tras, a la derecha. El tras, tras, tras, a la izquierda. Recuerdo que, en medio de la demolición de la casa familiar, busqué ser protegida por mis tres sobrinos, quienes parecían ser los únicos que comprendían el estado de nervios en el que me encontraba. Mis dos hermanos, tanto el constructor como el empleado de la compañía de aviación, estaban sentados al lado de sus maletas. Se mantenían impasibles, esperando seguramente que mi padre resolviera la situación. Mi madre sostenía los objetos que obtuvo algunos años atrás, cuando entraron a la ciudad las fuerzas de liberación. Los animales se encontraban olisqueando por los alrededores. La escena de ver a todos juntos sin un techo que nos amparase, me hizo advertir que los hijos de mi hermano, mis pequeños sobrinos, por quienes más de una vez robé algunas monedas a mi padre, no contaban con una madre en regla. Me di cuenta, en ese instante, de que nunca la habían tenido. Ni, por lo visto, necesitado. Ellos habían aparecido de pronto en el seno familiar. ¿De dónde habrían salido? Yo estaba tan asustada que no me preocupé de ninguna de mis pertenencias. Salvo del libro forrado con papel de estraza debajo del cual escondía el texto de perros que había compuesto. Mis animales, en ese momento, tuvieron la oportunidad de hacer lo que les viniera en gana. Cerca de una hora después apareció mi padre trayendo el primer traje folklórico de mi vida. Era muy colorido. La presencia de aquel traje me sacó de mi ensimismamiento. No me había dado cuenta hasta ese instante del ajetreo que se había empezado a desarrollar más allá del núcleo familiar. Había tenido solamente ojos, creo, para el alejamiento de los abuelos. Todavía los estaba viendo, a pesar de que, seguramente, el grupo de almas caritativas del otro lado ya les había dado el encuentro. No había reparado en los hombres de las máquinas de demolición, que habían dado un plazo mínimo, inmediato, para mover nuestras cosas del centro de los acontecimientos. Como dije, la casa familiar había sido destruida totalmente, no así el galpón donde nos encontrábamos, que sólo había sido dañado en forma parcial por una embestida fortuita. Una nube de polvo se elevaba frente a nosotros. Aparte de los trabajadores de la demolición, separada por una cinta de seguridad estaba presente toda una multitud de personas. Entonces, muy delicadamente, mi padre comenzó a desnudarme. Empezó por quitarme la larga falda plisada, el corpiño, el fondo, y las enaguas. En

determinado momento quedé sin nada encima.
Intuí que mi padre lo estaba haciendo con la se-
creta intención de que alguien, de entre la multitud, quisiera convertirse en mi marido y así, tal
vez, sacarse un peso de encima. Sin embargo, no
podía imaginar que mi padre quisiese deshacerse
de mí en esos momentos. Era absurdo. Mi padre
sería incapaz de haber tenido un pensamiento semejante, si yo era la menor de la familia, la niña
mimada. De pronto comenzó a colocarme el ves-
tido que había traído consigo. No sé cómo pero
había preparado también las pequeñas tiras de
nailon transparente, las mismas que utilizó después para mis presentaciones frente a los arrendatarios. Me las ató a las muñecas y a los tobillos.
Luego se trepó a lo que quedaba de pared. Yo,
pese a que nunca había estado en una circunstancia semejante, supe entonces lo que se esperaba
de mí. Todos los demás —tanto los trabajadores,
los curiosos situados detrás de la cinta de seguridad así como mi familia— observaron en silencio
los movimientos de mi padre. Desde el delicado
desnudamiento hasta mi completa transformación. Yo estaba ansiosa por moverme. Ya en mi
mente ensayaba las cabriolas que debía realizar.
Tras, tras, tras... a la derecha. Tras, tras, tras... a
la izquierda. Pero no, debía esperar hasta que
aparecieran ciertos hombres, los arrendatarios
convocados por mi padre, a quienes mi figura, de

persona recién salida de la escuela primaria, debía convencer. Debía persuadirlos con el fin de obtener un espacio techado para mis animales, mi padre y mi madre. También para mis dos hermanos, mis sobrinos y para mí misma. Aquel día, el primero, mi danza tuvo un éxito que nunca más se repitió. Mis hermanos ayudaron a mi padre a subirse a los restos de muro. Desde allí manejó los hilos atados a mis muñecas y a mis tobillos. Pero cuando llegaron, los arrendatarios no mostraron ninguna reacción. En cambio la multitud, incluidos los encargados de la demolición, aplaudieron con furor. A pesar de aquel entusiasmo, el galpón corrió muy pronto la misma suerte de la casa familiar. A veces pienso por qué nunca pude volver a bailar tan bien. La excepción tal vez fueron las cabriolas que realicé frente al cuarto donde se encontraban mi amiguita con el anciano. Debe ser porque, a partir de entonces y durante un buen tiempo —creo que hasta cuando comencé a ocuparme de escribir libros—, pensé en forma demasiado intensa en el arte de las marionetas. Creo que aquello fue mi perdición. Sin darme cuenta quedé, de pronto, sin rastro de cualquier frescura.

Es quizá por eso, por pensar demasiado las cosas, que mi forma de hablar es una especie de híbrido. A veces, para terminar de confundirlo todo, tartamudeo sin control. Debo ir entonces en busca de una cuchara para superar esos trances. Tomo la cuchara, también puede ser un tenedor o un palillo chino, lo pongo frente a mí y lo hago girar lentamente. El tartamudeo termina cuando la cuchara deja de rotar. Aunque casi siempre es peor lo que llega a suceder, pues la falta de tartamudeo pone en evidencia lo raro de mi acento. Hasta ahora, como señalé, no he logrado dominar el castellano. Pero lo peor de todo es que antes de este torpe aprendizaje no hubo tampoco una lengua materna que recuerde. Estoy imposibilitada para comunicarme. Así, sin más. A pesar de todo eso, desde que cumplí los cuarenta años de edad escribo libros. Primero fue uno de perros, luego otro que hacía referencia a una suerte de beato llamado Bernardo Chafloque, quien por esperar inútilmente a su jefe, que lo envió a comprar gasolina en un viaje que duró tres días, dejó pudrirse en su casa a una madre paralítica. Apareció después el relato de una mujer, Rita Rojas, que en una fiesta popular conoce a un hombre que luego la acompaña a su casa con la sola idea de robarle el televisor. Después tuve como personaje a un sujeto del cual no recuerdo el nombre, que confunde el oficio de una mujer corriente con el de una santa. Por último compuse un relato narrado por una familia de ratones. Toda esta actividad, de poner por escrito una serie de situaciones en un lenguaje que iba inventando para la ocasión, se veía obstaculizada por mis obligaciones con la escuela primaria. Recuerdo que el último año fue el más duro. Por más que me empeñé en los estudios sólo pude llegar a memorizar la tabla del dos. Y el pánico que me producían las descalificaciones me obligaba a convencer a mi pequeña amiga, a aquella con la que me aventuré hasta la escuela de veterinaria para robar el cerdo, a ir hasta los mercados, los fines de año sobre todo, con la intención de hurtar una serie de botellas de licor y darlas como regalo a los maestros con el fin de aprobar los cursos.

Cada día me veo más subida de peso. Es extraño que lo perciba. Es raro que ésta sea mi nueva constitución, si en realidad no soy más que una grácil marioneta popular. Hay como dos personas en mí. Yo sé que soy una figura delicada, que busco alegrar con mis bailes a los arrendatarios, pero también sé que no soy más que una gorda que tranquilamente podría competir en gordura con el cerdo que robé hace ya tanto tiempo. El mismo animal que mi padre mató con un afilado cuchillo y cuyos alaridos tengo todavía presentes. No lo curó después del primer ataque, como era la costumbre durante la guerra, cuando se cortaba a los animales por trozos y después se les trataban las heridas. Dejó que gritara y se desangrara. Simplemente permitió que sucedieran las cosas. Fue difícil la matanza. Cuando estaba por la mitad, con el cerdo herido y sangrando por el cuello, tuvo que pedir ayuda al matarife del mercado, quien en un dos por tres zanjó la operación. Pero ahora la obesa soy yo. No sé si sea cierto, en todo caso son mis hermanos quienes me dicen que luzco de esa forma. ¿Será verdad? En ese caso no me podría poner nunca más el traje con el que hago mis representaciones. No podría seguir siendo ya la muñeca que todos, salvo los arrendatarios, admiran.

No entiendo por qué sufrimos tanto con el asunto de las casas. Tomando en cuenta que mi hermano afirma que es constructor. Al menos eso fue lo que dije cuando lo presenté. Señalé que un hermano era constructor y otro empleado de una compañía de aviación que realizaba solamente vuelos nacionales. Sin embargo, el hermano constructor siempre ha estado bajo el amparo de mi padre, y mi padre es una persona que jamás hubiera permitido que alguien de su familia construyera nada. Eso seguramente nos sacaría, de inmediato, de la categoría de familia doliente. Por eso, creo que mi padre era quien se encargaba de bautizar con algún oficio, que se le ocurría de improviso, a los miembros de la familia. A uno lo bautizó como constructor y al otro como empleado de la compañía de aviación. Sin embargo, de ser cierto esto de que nadie en la familia contara con un oficio, no sé de dónde conseguíamos el dinero para nuestra subsistencia. No creo que de mis preventas de animales en las puertas de los supermercados. Recuerdo que eran muy pocos los clientes que llegaban hasta la puerta de la casa después de haberse mostrado interesados en alguna mascota. Me acuerdo especialmente de una familia de extranjeros que quería adquirir unas crías de gatos siameses. Primero compraron uno y después el otro. Se llevaron al comienzo un macho, y después me pidieron por teléfono que les llevara una hembra. Cuando llegué a su hogar noté que la niña de la familia le había pintado al primer gato la pata de negro intenso. Parecía haber utilizado una acuarela. Me sonrojé al advertirlo. Imaginé todo un mundo de fantasía. Con su habitación llena de lápices de colores, pizarrones, muñecos de peluche, y mi gato en medio de todo ese esplendor. Pensé en el aspecto que mostraba yo entonces. No era ni una pequeña figura ni tampoco una gorda. Era un adolescente muy parecido a los cantantes extranjeros que salen en la televisión. Eso sí, usaba anteojos, de montura cuadrada. Hubiera querido lucir el cabello más largo, pero mi padre me lo tenía prohibido. Tengo la imagen de la niña cargando el gato con la pata pintada. No recuerdo más, sólo que dije que no podía dejar al segundo animal porque antes se le debía pagar a mi padre. Me acuerdo que cometieron la descortesía de ofrecerme a mí el dinero. Me pareció una rotunda falta de educación. Yo entonces no debía contar más que treinta y seis años. ¿Cómo era posible que esos extranjeros trataran de humillarme de manera semejante? Aguardé unos momentos sin decir palabra. Luego de algunos minutos, repetí que había llevado el segundo gato sólo para que lo vieran, pero que tendrían que regresar a mi casa si querían comprarlo. Lo hicieron. Un día después llegaron conduciendo un auto inmenso. Sólo estaban el padre y la madre. La hija seguramente se había quedado jugando con el gato de la pata pintada. Me asombró ver el interés que demostraban por mi mercadería, creo que yo en ese entonces ofrecía en las calles un tesoro que era difícil de comprender. En ese tiempo los gatos siameses todavía no estaban cruzados como lo están ahora. Mantenían la cara alargada, el cuerpo tubular y las orejas inmensas. Las colas se enroscaban al final como si de marsupiales se tratara. Imagino la cara de felicidad de la niña con su segundo gato entre los brazos. Siempre, a partir de esa fecha, he tenido gatos. Recuerdo que en el techo de la casa derruida había un departamento que mi abuela mantuvo en alquiler. Era pequeño y luminoso. En cierta ocasión, entre la salida de un inquilino y la entrada de otro, mi padre debió pintar las paredes. Lo acompañé en su labor. Yo en ese tiempo ya era una niña obediente. No era, ni por asomo, el joven de lentes cuadrados ni la mujer desastrosa en la que luego me convertí. No bien entramos al departamento vacío nos atacó un ejército de pulgas. Las producían seguramente mis gatos, que la mayor parte del tiempo se encontraban tomando sol en el techo de la casa. Era curioso sentirlas subiendo por dentro y fuera de mis pantalones. Por encima de las piernas, en aquella ocasión yo había cuidado de llevarlas cubiertas con medias de nailon. Algunas me llegaron al pecho –mi padre hacía poco me había comprado unos corpiños llamados formadores–. A mi padre pareció no importarle que las pulgas me atacaran. Me pregunto, ante su indiferencia por casi todo, cómo podría representarse en forma fílmica un padre así. Hago la pregunta porque existe el proyecto de hacer una biografía filmada de mí misma. Una autobiografía cuyo eje sería cada uno de los libros que he publicado. Textos que, aunque en apariencia no transcurren en ninguna parte o no se refieran a ningún aspecto particular de la realidad, cada uno de ellos tiene, al menos en mi cabeza, un lugar y una circunstancia determinados. Como, por ejemplo, el cuento de la visita al día siguiente a los restos de la derruida casa familiar. Lo más deslumbrante de aquella incursión fue mirar, encima del desmonte, en la cumbre, a una mamacha –mujer indígena adulta que no ha abandonado su vestimenta tradicional–, sentada como si ese espacio fuera su lugar natural.

Existe la posibilidad de hacer una biografía filmada. Espero que no se haga evidente mi hablar híbrido y mi tartamudeo ocasional, aquel que debo conjurar haciendo girar una cuchara, un cuchillo, un tenedor o un palillo chino frente a mis ojos. Delante de la cámara, de una vez por todas voy a dejar atrás las personalidades necesarias para seguir escribiendo. La imagen del niño encerrado en una institución mental, donde idea una serie de visitas a unos baños públicos para que su madre saque provecho de su cuerpo desnudo. La representación de números de marionetas para evitar los seguidos juicios de desahucio que amenazan a la familia. No sé, en cambio, cómo puede representarse ante la cámara una comunidad musulmana en Occidente, dirigida por una sheika. ¿Qué hay de verdad y qué de mentira en cada una de las tres autobiografías? Saberlo carece totalmente de importancia. Hay una cantidad de personajes reales comprometidos. Un antecedente personal que tiene que ver con la estirpe de corte fascista de la que provengo, una secretaria enferma, la imposibilidad de habernos conformado como una familia normal. La necesidad de borrar todas las huellas del pasado, de difuminar lo más que se pueda una identidad determinada, basada principalmente en la negación del tiempo y el espacio que supuestamente debían corresponderme. Cambiar de tradición, de nombre, de historia, de nacionalidad, de religión, son una suerte de constantes. Evitar el recuerdo, por ejemplo, de que provengo de una familia que se dedicaba a transportar esclavos negros en barcos. O hacer como si olvidara que una parte de ella huyó de su país de origen tras la caída del Duce Mussolini. Pero no para crear nuevas instituciones a las cuales adscribirme. Sencillamente para dejar que el texto se manifieste en cualquiera de sus posibilidades. Sobre todo, esto se hace evidente en *La verdadera enfermedad de la sheika*, relato en el cual una serie de embelesos místicos experimentados a lo largo de muchos años son el elemento constitutivo de la ficción. Continúan existiendo en mí, eso sí, imágenes inalterables. La presencia de la deformación de los cuerpos, los miembros faltantes con la parafernalia, a veces densa y complicada, que ese fenómeno suele llevar consigo. La aparición de una enfermedad incurable y mortal, ya anticipada por mí mismo en textos como *Salón de belleza* y *Poeta ciego*. Los juegos con las identidades sexuales. El pasar, sin solución de continuidad, de ser un niño exhibido en los alrededores de la tumba de un santo a una ladrona de cerdos, o a un personaje indeterminado, desfasado en su sexo y en su edad, que es además sojuzgado por un padre intransigente. Todo para no llegar sino a la figura de un adolescente tímido de gafas cuadradas, quien muy pronto decide renunciar a la comunión con los demás –esto ocurrió en los primeros años de la escuela secundaria– para irse a refugiar en la compañía de ciertos animales domésticos, que alguna respuesta tendrían que haberle dado. En ese tiempo cómo iba a imaginar que terminaría teniendo una novia alemana. Este periplo parece que sirvió para, después de algunos años, convertirme simplemente en un escritor contemporáneo, que casi sin darse cuenta ofrenda su vida no a la crianza de animales ni a una serie de ejercicios espirituales capaces de darle a su existencia una dimensión onírica mayor, sino que el verdadero deseo terminó siendo la palabra, no sólo crearla sino compartirla en una escuela que dirijo con un grupo de futuros escritores que, semana a semana, se reúnen, con una fe admirable, para tratar de desentrañar el sentido oculto de los textos. Y compartirla también con dos o tres amigos cuya opción fue similar: la de escribir sólo por escribir.

Es quizá por eso que, a pesar de la vida tan dispersa que he llevado, estoy ahora feliz. Sin pesos emocionales, de familia, de nación, de identidad. Creo que es el mejor estado para ejercer mi trabajo. Sin preocuparme ya de que la rareza de mi cuerpo pueda ser exhibida incluso desnuda, como una atracción popular, sin pensar demasiado tampoco en las vestimentas necesarias para zambullirme en los bailes de los derviches. Sin que sean problema las minifaldas ni los zapatos de tacón, así como tampoco el aspecto que debo mostrar para cumplir el rol de novio de una muchacha alemana que busca desesperadamente un auto absurdo, o para representar a una graciosa marioneta con los tobillos y las muñecas atados con una cuerda transparente. En este cambio de perspectiva tiene que haber influido, de manera decisiva además, la prometida biografía filmada. A partir de verme a mí misma recreada en otro formato, me liberaré, entre otras cosas, de la necesidad de robar dinero de la casi vacía billetera de mi padre. Que mis sobrinos se las arreglen como puedan. Me tiene sin cuidado que dejen de recibir golosinas. Para eso tienen a su padre, quien, debo decirlo ya, es un constructor que jamás levantó ninguna casa. Creo que mi estado es uno de los mejores con los que se puede contar. Lo advierto porque los lugares óptimos donde suelo escribir son los hospitales –donde me internan de vez en cuando–, los aeropuertos, los aviones, los trenes y las residencias para escritores. Nunca me puse a pensar qué me habría ocurrido de escribir en la granja de pollos de mi tío, primo de mi padre, quien se terminó suicidando después de que su negocio se convirtió en un verdadero desastre. Sería bueno, como parte de la biografía filmada, realizar un viaje hasta el monte donde esa pequeña granja se encontraba situada. Se deben recrear, además, las brumosas cantinas del centro, que forman parte del escenario de uno de mis libros. Se debe visitar también la casa situada en una zona conocida como *la bajada*, hoy convertida en un lugar de venta de comida regional, donde pasó sus últimos años el poeta César Moro. Otro texto, el tercero, transcurre en un barrio llamado Miramar. El cuarto surge de mis pesquisas realizadas a discotecas frecuentadas por transexuales. El quinto tiene su eje en dos barrios característicos, uno que cuenta con playas donde se puede nadar, correr olas y hacer deportes acuáticos, y el otro habitado por una emergente clase media. El sexto libro es un intento de representar, desde determinado punto de vista, la politización extrema que viví en las instituciones en las que transcurrieron mis estudios. Esos libros, a pesar de los escenarios concretos que seguramente la película mostrará, fueron comenzados a escribir a partir de la no-tierra y del no-espacio. Por eso mismo, creo, coinciden con una serie de vivencias de orden personal. Un verdadero tiempo que en efecto no existe, y que por eso mismo considero más real que el real, lo comienzo a experimentar cuando empiezo a escribir a partir de mis sueños. Es el tema no únicamente de un capítulo de estas autobiografías, el segundo, sino de algunos libros más que están por aparecer, y los cuales pretendo firmar ya no como Mario Bellatin, el niño desnudo de grandes genitales, el personaje impresionado por la demolición de la casa familiar o el muchacho de lentes cuadrados que soñaba con tener una novia alemana. Sino simplemente como Salam. Abdús Salam más bien, el Hijo de la Paz. Pero creo que todos estos proyectos, sobre todo la redacción de ese nuevo libro de sueños, son empresas literarias que ya no voy a poder llevar a cabo. En los últimos tiempos mi mente se vuelve cada vez más dispersa. He olvidado, por ejemplo, los bailes de marioneta. Ya casi ni me acuerdo de la rata que llevaba, ni de aquel viejo que vendía hámsters y que encerró a mi pequeña amiga en un cuarto mientras yo danzaba afuera. No tengo ninguna seguridad tampoco de haber tenido cita en el hospital donde ingresaron a la sheika, ni de haberme interesado jamás por autos de ninguna marca. Ignoro lo que sucedió con mi persona cuando mis testículos dejaron de atraer a las mujeres de los baños. Quizá me sentí como un conejo muerto, como la vez que fui descubierto, por un periodista de la sección de cultura, haciéndome pasar por un tullido. Tampoco sé la razón por la que cuando adapté la jaula a la bicicleta muchas de mis amigas criticaron la decisión. Nunca me puse a pensar qué me habría ocurrido de escribir sobre detalles oscuros de la especie de granja de pollos de mi tío, un viejo pariente de mi padre, quien terminó muriendo después de que su negocio fuera un verdadero desastre. Me arrepiento, en cambio, de haber dejado a mi novia alemana a merced de un grupo de hombres dueños de autos Renault. Quiero, a partir de ahora, reproducir las imágenes fragmentadas que me rodean y que no llevan, como mi vida, a ninguna parte. Aunque para lograrlo deba usar, quizá por última vez, mi gracioso traje de pequeña muñeca de fantasía.

ÍNDICE

Mi piel, luminosa 7

La verdadera enfermedad de la sheika 71

Un personaje en apariencia moderno 121